PAROLE D'HOMME

ROGER GARAUDY

PAROLE D'HOMME

ÉDITIONS ROBERT LAFFONT
PARIS

Si vous désirez être tenu au courant des publications de l'éditeur de cet ouvrage, il vous suffit d'adresser votre carte de visite aux Éditions Robert LAFFONT, Service « Bulletin », 6, place Saint-Sulpice, 75279 Paris Cedex 06. Vous recevrez régulièrement, et sans aucun engagement de votre part, leur bulletin illustré, où, chaque mois, se trouvent présentées toutes les nouveautés que vous trouverez chez votre libraire.

SOMMAIRE

AUTOPORTRAIT

L'AMOUR

LA MORT

LE SENS DE LA VIE

LE PLAISIR

LE BONHEUR

LA VIE QUOTIDIENNE

LIBERTÉ? LIBÉRATION?

LE TRAVAIL

LES AUTRES

LE PASSÉ

LE PRÉSENT

L'AVENIR

LA POLITIQUE

LA CITÉ IDÉALE

UNE FOI

ET PUIS ENCORE...

Il fallait de l'audace à Roger Garaudy pour écrire le premier livre d'une collection qui se propose de faire dire ce qu'on ne dit pas : c'est-à-dire ce que l'on pense de l'essentiel !

Le principe de chaque livre est simple : l'auteur se voit proposer vingt thèmes — vingt chapitres : *Autoportrait, Une idée de l'homme, L'amour, Le plaisir, Le bonheur, La mort, L'enfance, Les autres, Le travail, La vie quotidienne, La société idéale, La liberté, La politique, Le passé, Le présent, L'avenir, Une foi, Si c'était à refaire, Le sens de la vie, Et puis encore...*

A lui de donner à chacune de ses réponses l'ampleur qu'il juge souhaitable.

Pourquoi pas un auteur qui traiterait en deux cents pages de l'amour et ne consacrerait qu'une ligne à la mort ?

Le lecteur ne devra donc pas s'étonner que Roger Garaudy n'écrive qu'une ligne au chapitre « Présent » ! A chacun d'apprécier ce que cela signifie.

Ce livre — ces livres s'il en vient d'autres — voudrait ainsi mêler liberté et création : de l'auteur, du lecteur et de l'éditeur.

Max GALLO.

AUTOPORTRAIT

« Apprendre à être jeune, c'est un très long apprentissage. » J'y ai passé déjà plus de soixante ans, et je ne crois pas y être encore tout à fait arrivé. Peut-être étais-je mal doué, ou trop exigeant. Mais les étapes de cet apprentissage, c'est probablement la seule chose d'une vie qui vaille d'être dite, pour aider les autres à gagner du temps dans cette entreprise.

Être jeune, c'est avoir une âme, c'est-à-dire pas seulement des souvenirs et un destin, mais un avenir véritable qui ne ressemble ni au passé ni au présent, qui soit une véritable création, une participation à l'invention du futur.

L'âme n'est pas le contraire de la nature, du corps ou du monde. Simplement le mouvement qui les oblige toujours à se transformer; certains appellent cela la transcendance, un autre mot pour dépassement, et qui n'y ajoute que l'essentiel : que l'on ne peut pas dépasser le passé et le présent avec les seules forces qu'ils contiennent déjà. La transcendance c'est le contraire de la suffisance. Prier, c'est écouter. Croire, c'est accepter la surprise. D'autres appellent cela la révolution, c'est une autre face de la même réalité, une façon aussi de combattre la suffisance, c'est-à-dire de nous enseigner à la fois que l'on ne peut pas en rester là, et qu'on ne peut aller au delà tout seul, mais avec les autres, avec tous les autres.

Sans quoi la révolution ne serait qu'un transfert de propriété et de pouvoir, et non pas un moment de la création continuée de l'homme par l'homme, une métamorphose inédite de la forme humaine.

Sans quoi aussi il n'y aurait point d'âme, c'est-à-dire de transcendance, et chacun ne serait qu'un miroir du monde extérieur, se souvenant de lui ou le prévoyant, sans en faire émerger une réalité neuve.

La vie se déroule en sens inverse de ce que l'on croit communément : nous naissons très vieux, et il nous arrive parfois, d'arrachement en arrachement, de conquérir une véritable jeunesse. A partir de là, la vie a atteint son plein épanouissement : il s'agit de veiller à ne plus laisser descendre la courbe et de l'interrompre soi-même, par un acte volontaire, avant que la déchéance dernière nous en rende incapables. Nous retrouverons ce problème, le plus difficile peut-être de la vie, en abordant la mort.

Qu'il est vieux cet enfant qui naît : mûri comme un beau fruit de millions d'années d'histoire de la terre et de l'homme, il porte en lui tout le passé de la vie et de l'espèce. De l'utérus de sa mère au vent du large de la nature, ses instincts, ses réflexes, jouissances ou colères, ont été formés en dehors de lui et sans lui, venant de très haut et de très loin. Fruit merveilleux et bien-aimé de notre préhistoire, saturé de passé au point que rien de neuf n'en puisse naître. Tu es pris dans les rets de la nature, ou plutôt tu n'en es qu'une partie, comme les pierres, les plantes et tes petits frères de la jungle animale ou domestiquée.

Qu'il était vieux cet écolier que je fus, exemplaire, raisonnable, pris désormais non plus dans les rets de la nature mais de la culture, façonné selon sa famille, sa race, sa classe, plus encore lorsqu'il entre dans la filière de l'école, cette machine à nous rendre vieux, qui s'acharne à nous faire vivre dans le passé ou dans une fausse éternité : à nous rendre bêtes et bavards comme Cicéron, à nous apprendre les mathématiques comme une science révélée, tombée du ciel, et non comme une création continue née du besoin de l'homme de surmonter le hasard; à nous placer au bout de la trajectoire rigide d'une histoire, avec des faits immuables comme des blocs de granit, et des chaînes de causes si implacablement nécessaires qu'il ne nous reste plus qu'à en prolonger l'invincible tiraillement.

Qu'ils sont vieux ces adolescents, mes fils bien-aimés, qui disent toujours « non », comme si se vouloir l'envers de son père n'était pas encore se définir en fonction de son père. Les voilà revenus à l'illusion de l'homme des cavernes, s'identifiant magiquement à la foudre par le bruit que fait leur moto ou au tigre que les litanies publicitaires les ont convaincus de mettre dans leur moteur.

La révolte, pourtant, les conduit au seuil — mais au seuil seulement — de la rupture vraie avec les conditionnements séniles du passé — à la transcendance et à la révolution, ces deux sœurs siamoises de l'inauguration d'un avenir véritable.

Il leur faudra beaucoup de foi, d'espérance et d'amour.

Ici commence le témoignage. Combien de fois, dans notre vie, avons-nous pris de véritables décisions? Je veux dire des décisions qui ne naissent ni de la routine ni de la simple révolte ou négation...

Pourquoi la vie du Christ est-elle divine?

Parce qu'elle est faite tout entière de ce qui arrive si rarement chez un homme : uniquement de décisions. Jésus, en chacune de ses paroles, en chacun de ses actes, n'est jamais là où nous l'attendons. Il n'agit jamais ni par routine ni par révolte, mais à coup d'inventions qui sont chaque fois pour nous des surprises, comme un poème qui désarçonne nos logiques coutumières. Il est un centre permanent de jaillissement de la création. Il est, par excellence, ce par quoi Heidegger définit l'homme : le poème commencé de l'univers.

Mesurons à cette aune nos vies. Et répétons la question inexorable : Combien de fois de véritables décisions?

Les meilleurs d'entre nous doivent les compter sur les doigts d'une seule main.

Pour ma part j'arrive à peine à discerner trois de

ces sommets, à partir desquels je peux dominer l'ensemble et en saisir l'unité et le sens.

A propos de son poème dramatique *Jeanne au Bûcher,* Paul Claudel écrivait :

« Pour comprendre une vie comme pour comprendre un paysage, il faut choisir le point de vue; et il n'en est pas de meilleur que le sommet. Ce sommet était la mort. C'est de ce sommet qu'elle envisage toute la série des événements qui l'y ont conduite.

« Ainsi les mourants, dit-on, voient à la dernière heure se déployer tous les événements de leur vie, à qui sa conclusion imminente donne un sens défini-tif. »

4 mars 1941. Nous étions environ 500 militants communistes déportés à Djelfa, porte du désert, au Sud algérien, dans le territoire de Ghardhaïa. Nos tentes marabouts étaient plantées sur des terrassements de sable jaune et roux. Pas un arbre, pas un buisson. Des cailloux, du sable. Au ras du sol, des nœuds de minuscules lianes sèches, recroquevillées, sans feuilles, sans couleur et sans nom, pas plus grosses que des squelettes de souris. Aux deux angles supérieurs de l'enceinte de barbelés, une tente, occupée par les goumiers qui nous gardent, et, sortant du triangle noir de l'ouverture, le museau effilé d'une mitrailleuse qui nous guette. Quand le vent du désert souffle, et surtout la nuit quand les bruits grandissent, la toile de nos tentes

claque et se disloque frénétiquement : on se croirait dans le ventre d'une bête qui aboie.

Le 4 mars, on nous annonce un transfert : des anciens des Brigades internationales d'Espagne, polonais et tchèques surtout, viennent nous relever alors qu'on nous enverra dans l'ancien bagne de « biribi », dans l'Atlas. On nous a interdit tout rapport avec nos remplaçants. Nous décidons néanmoins de leur souhaiter la bienvenue, rangés devant nos marabouts où l'on nous avait enjoint de nous enfermer. Nous sifflons le chant *Allons au-devant de la vie*.

Le commandant, écumant de rage, nous ordonne de nous taire et nous prévient qu'à la troisième sommation il fera tirer sur quiconque n'est pas rentré se coucher sous les tentes. Personne ne bronche et notre chant prend une ampleur triomphale. Cravache en main, l'officier donne l'ordre de tirer.

Ce n'est pas la première fois que me fixaient dans les yeux les orbites noires de ces mitrailleuses qui semblaient trouer la terre et le ciel : sur le front de la Somme, à Warfusee-Abancourt, j'étais déjà passé sous le feu des lignes allemandes, à quelques dizaines de mètres; et de voir les armes qui tirent sur vous est une sensation très différente de celle d'un bombardement dont on ne voit pas la source : il y a là un affrontement actif qui produit une sorte d'excitation physique, j'allais dire sensuelle. Je n'aurais jamais cru qu'il fût si facile d'être fusillé à vingt-sept ans, et avec une telle plénitude de joie.

Un moment d'angoisse : je parcours du regard les

visages de ceux qui sont les premiers de chaque file. Qui va tenir? Qui risque de lâcher? Qu'est-ce qui soutient un homme pour qu'il regarde de pied ferme venir la mort?

Le vieux Charles, qui dirigeait la Fédération C.G.T. des transports : ses yeux bleu clair, toujours clignotants, comme pour se moquer, ses cheveux qui n'ont pas la blancheur des vieillesses paisibles — ils sont décolorés et délavés par les pluies et les vents. L'effort des batailles a strié les coins des yeux et des lèvres. Il m'a raconté, maintes fois, sa vie, par morceaux : « A onze ans, avec un certificat d'études, j'ai quitté l'école et on m'a loué dans un moulin, comme domestique, pour soigner un cheval et des cochons. Je suis devenu charretier de ferme. C'était l'époque des grandes grèves de la Brie : j'étais parmi les Morvandiaux, émigrants de la montagne, qui apportaient l'esprit de lutte. En 1917, je suis revenu avec le bras immobile, le coude fracassé par un shrapnel. Je ne pouvais plus être paysan. Je suis devenu cocher, puis chauffeur. Je me suis syndiqué, je suis entré au Parti. » Il s'est senti greffé sur une vie plus grande que la sienne. Il sent couler dans ses poings la force de millions de bras. Quand on est branche de cet arbre, on ne s'en laisse pas arracher par la bourrasque. J'en suis sûr : Charles ne craquera pas.

En tête de la deuxième file, Roger a une silhouette qu'on n'oublie pas : une blessure reçue dans les Brigades internationales en Espagne lui a dévié la colonne vertébrale et raccourci une jambe. Il marche légèrement penché en avant, jambes et

17

2.

bras écartés, avec une allure d'homme des cavernes. Celui-là a la révolte dans le sang. Son père est né dans une cave, pendant la répression de la Commune, en 1871. Modeleur dans une usine de torpilles il a commencé comme anarchiste. Puis il est objecteur de conscience. En pleine guerre du Maroc. Dix-sept jours de grève de la faim. Interné dans un hospice d'aliénés. Il a tenu bon. Dans les Brigades d'Espagne notre anarchiste objecteur de conscience rencontre le Parti sous la forme d'une armée. Volontaire pour tous les coups durs il finit la guerre comme adjoint de Sagnier, le chef que l'on appelait par son prénom et devant qui on rectifiait la position pour lui demander une cigarette. Avec lui, pas d'inquiétude.

Le suivant, Hervé, un Breton de vingt-six ans, aux cheveux de bitume embroussaillés, a été arrêté, soldat, pour avoir acheminé la lettre d'un communiste condamné à mort. Il est hanté par ce visage : « Le grillage de son cachot m'attirait. Il me semblait être encore dans la cabine de mon chalutier, tournant d'instinct les yeux vers le hublot d'où venait la clarté. Tant que je vivrai, cet homme ne sera pas tout à fait mort. » Cet homme l'habite. Il mourra debout, comme lui.

Léon est le bon géant de notre groupe. Instituteur, ancien champion de rugby, avec sa chair laiteuse et ses oreilles décollées : tiens, elles sont devenues translucides dans le soleil ! La semaine dernière il parlait d'un gars qui s'était dégonflé pour être libéré : « Tu te rends compte ! Ne plus se sentir vivre de cette vie géante ! Les mains qui se retirent ! Les copains changeant de trottoir quand tu passes... » Je sais qui il est, et qui le tient.

Gilbert, le mineur de Carmaux. A quinze ans, comme son grand-père, comme son père, comme ses frères, il est descendu dans le trou : on n'y résiste pas plus qu'une pierre qui tombe. Ils sont, de père en fils, comme les mains d'un même mineur qui arrache à la terre sa force, sa chaleur. Il appartient à la mine : elle lui a tatoué de bleu le visage, les bras, le corps entier, comme une maîtresse jalouse. Il est attaché à ses galeries comme par un fil d'acier. Ses compagnons aussi. Ces fils s'entrecroisent comme la trame d'un seul tissu et, si un seul se brisait, tous se sentiraient déchirés.

Bernard m'inquiète. Il était acteur à l'Odéon. Un merveilleux garçon, mais l'héroïsme et la mort sont pour lui un art. Il m'a récité des tirades de Nietzsche, mais rien ne le lie à rien... A moins qu'aujourd'hui la contagion des autres...

Raymond était ajusteur chez Farman. C'était une révélation, pour moi, de l'entendre parler de *son* usine. Je me demandais chaque fois s'il existait un lieu sur la terre, des choses, un homme même, que j'aime comme Raymond aime *sa* machine, *ses* avions, ses camarades dont l'amour passe dans chaque geste : les outils que l'on se prête, les boulons, les rivets, les goupilles que l'on se passe, les pièces que d'autres camarades ont commencées et que l'on finit, celles que l'on commence et que d'autres finiront. Dans ma tête chante encore la symphonie dramatique qu'il évoquait hier soir : la vibration des marteaux sur les nervures de « dural », la scie musicale des limes sur les tôles. Une clef de vanadium, tombée d'une échelle, tinte sur toutes les notes en heurtant l'acier des poutres maîtresses, les filins des tendeurs ou les tubulures des commandes... Quelle musique s'élève en ce moment dans sa tête qu'interrompra dans un instant le crépitement des mitrailleuses. Il regarde avec nonchalance, avec un sourire ironique les armes dirigées contre nous. Il chante : « Allons au-devant de la vie. Allons au-devant du matin. »

Notre marche va prendre fin dans une seconde.

Malgré les menaces et les coups que le commandant porte à nos gardiens arabes, les mitrailleuses se taisent toujours. Tous les hommes sont restés debout. Pas un n'a accepté de se coucher pour échapper à la rafale. Ce temps, long comme des dizaines de vie, s'éteint dans le silence. Ce n'est déjà plus qu'une vaguelette joyeuse sur le sable d'une plage.

La vie retrouvée, après une si joyeuse acceptation de la mort, me paraît délicieuse, même dans ce décor d'enfer. Nous avons su, longtemps après, à quoi nous devions la vie : dans l'éthique féodale de ces guerriers musulmans des tribus du Sud, un homme armé ne tire pas sur un homme désarmé.

Le chant, la mort, l'amour pour ceux qui venaient nous relayer, frères des mêmes misères, du même combat, et de la même espérance, et la fraternité de ceux qui avaient refusé de tirer, tout cela vécu d'un seul bloc, dans l'instant doré où l'homme choisit de mourir debout plutôt que de vivre en rampant, fut pour moi la première expérience plénière où toutes les composantes de ma vie se nouaient en une seule gerbe : l'acte de la création poétique de l'homme, de l'action militante, de la foi inextinguible en l'avenir, et surtout, par l'acceptation joyeuse de la mort, la certitude que le projet humain auquel je participe n'est pas un projet individuel, qu'il me dépasse, et donne un sens à tout le reste.

6 février 1970. La salle du XIXe Congrès du Parti communiste est tapissée de jute rouge. Mon père est mort cette semaine. Je n'ai cessé de demander à faire le plus tôt possible ma dernière intervention à un congrès de ce parti auquel j'appartiens depuis trente-six années, dont je suis membre du Comité central depuis vingt-quatre ans, du Bureau politique depuis douze ans. Le secrétaire administratif, à qui j'expliquais que ma mère avait besoin de moi dans ces circonstances, me répond : « Ce n'est pas toi qui es l'organisateur du Congrès. »

Après trois jours d'angoisse, l'accès à la tribune m'est ouvert. Lors de chaque congrès, depuis un quart de siècle, j'ai pris la parole à la demande de mes camarades de la direction du Parti et je m'étais toujours senti porté par l'enthousiasme et l'amitié de tous. Aujourd'hui, quand je gravis ces marches, c'est dans un silence et dans un froid de cercueil. Sans polémique inutile je développe les points essentiels, nécessaires, à mon sens, à la victoire du socialisme en France : une analyse théorique sérieuse du « bloc historique nouveau » entre ouvriers, ingénieurs, techniciens et cadres, une définition claire du modèle de socialisme que nous voulons construire, les formes d'organisation et la stratégie qui en découlent.

Mes derniers mots sont suivis d'un silence horrible. Mon corps est lourd comme un gisant de pierre. J'ai l'impression de tomber dans un puits en allant me rasseoir au milieu de ces 2 000 camarades, dont la plupart étaient encore hier mes amis, et dont pas un, aujourd'hui, même parmi ceux qui partageaient certaines de mes positions, n'a osé s'exprimer à mes côtés. Quand la séance est levée l'on s'écarte devant moi comme devant un lépreux. J'entends seulement le crépitement des caméras d'une meute de journalistes fixant les dernières étapes du hallali et heureux de l'orchestrer en campagne anticommuniste. Cette meute me suit quand je prends le volant de ma voiture. Je démarre sans savoir où je vais, car, pour la première fois de ma vie, j'ai la tentation du suicide : ce qui me met au désespoir, c'est de voir ce que ce parti, auquel j'ai donné le meilleur de ma vie, a fait de ces 2 000 hommes, dont je connais, en d'autres circonstances, le courage et l'honnêteté, et qui ont accepté d'être manipulés jusqu'à ne pas oser — pas un seul — dire un mot. Je sais désormais qu'un parti, quel qu'il soit, est une machine à confisquer les initiatives de la base. Le parti qui a groupé les forces les plus pures de notre peuple en est arrivé là. Cette seule obsession me donnait le désir de mourir puisque s'effondrait ce à quoi je croyais par-dessus

22

tout : un parti capable de créer des hommes nouveaux, créateurs.

Les photographes avaient littéralement pris en chasse ma voiture. Je suivais un itinéraire hagard comme une chauve-souris, pour les semer en route. Il me fallut plus d'une heure pour y parvenir. Quand je fus sûr de n'être plus suivi, je me demandai où aller : je ne voulais pas rentrer chez moi, apporter cette écrasante tristesse à mes enfants, à toute ma famille. Il était près de 2 heures de l'après-midi. Machinalement je remis en route, et, sans trop savoir ce qui m'y poussait, je me retrouvai devant la maison de ma première femme que j'avais épousée en 1937, alors qu'elle se préparait à entrer au Carmel, et que j'avais quittée en 1945, un quart de siècle plus tôt, au retour de déportation.

Je monte les escaliers comme un somnambule. A peine ai-je frappé, la porte s'ouvre, comme si l'on m'avait attendu la main sur le loquet. J'aperçois une table avec deux couverts, et je réalise brusquement l'énormité de mon acte. Je recule d'un pas.

— Pardon, tu attendais peut-être quelqu'un?

— Oui, j'attendais quelqu'un : toi. J'ai entendu ton intervention tout à l'heure à la radio. Et ce silence de mort. J'étais sûre que tu ne pouvais venir ailleurs qu'ici. Entre, et regarde : je crois n'avoir pas oublié le vin que tu aimais, il y a vingt-cinq ans, ni le pain de seigle.

Nous avons déjeuné en silence.

Je regardais, au-dessus de nos têtes, dans une sorte de brouillard, comme si l'épaisseur du temps s'était condensée en espace lointain, les deux reproductions que j'avais peintes à la gouache, trente-trois années plus tôt, aux premiers temps de notre mariage, pour rappeler naïvement, par ces symboles, les deux pôles de nos vies, opposées et complémentaires : le Christ de souffrance et d'ouverture à Dieu de Mathias Grünewald, et, à son côté, l'Héraclès archer de Bourdelle, bandé comme son arc vers l'efficacité et la puissance humaines. En moi chantait ce leitmotiv de toute ma vie, que j'avais lu chez Romain Rolland : « Jean-Christophe prit conscience de sa destinée qui était de charrier, comme une artère, toutes les forces de vie de l'une à l'autre rive. »

C'est sans doute ce qui m'avait poussé, à mon insu, jusqu'à cette porte : la certitude obscure mais invincible que le socialisme avait besoin, pour être lui-même, de cette dimension divine de l'homme.

Quand je suis reparti, une heure après, ayant baisé le front de cette femme, tout était transfiguré : le miracle d'amour de cette attente, d'une lucidité mystérieuse et exacte au tournant de la vie de l'autre, à ce rendez-vous du destin, c'était le triomphe de la vie sur la mort. Qu'en un seul être cela pût exister pouvait racheter les abandons de milliers d'autres. Il était encore possible de vivre.

Il n'y a pas de révolution sans amour. Mais l'un et l'autre existent. Ils ont peut-être la même source : le refus de s'en tenir à ce qu'on est et de croire l'autre figé dans une forme acquise. J'ai foi en leur rencontre. Ma vie continuera à avoir un sens.

Printemps 1973 et printemps 1974. Face aux premiers contreforts du Fouta-Djalon, à la frontière orientale du Sénégal et de la Guinée. Pour tourner mon film *Dionysos noir,* nous sommes arrivés à Éthiolo, en pays bassari, à 1 000 kilomètres de Dakar, à l'intérieur. Dans chacune de ces cases, qui semblent soulevées par une respiration, comme des seins de femme, il y a un ami, un frère. Nous avons été adoptés. Lorsque, à minuit encore, couché sur une natte, sous le grand fromager, la sueur ruisselle sur mon corps nu, j'ai l'impression que des mains humaines me portent et me caressent. A 3 ou 4 heures du matin il fait presque frais, le corps se baigne dans l'air, enfin, et s'immerge en lui comme un arbre dans la terre. C'est une réconciliation merveilleuse, une communion avec le monde, et l'on s'y fond et s'y abandonne avec un corps sans pesanteur. Un piétinement sourd, et une haleine chaude : ce sont les buffles, serrés les uns contre les autres, qui, à la fin de la nuit, se rapprochent de l'homme pour échapper à la peur des panthères. Nous vivons dans la continuité des pierres, des arbres, des animaux. Lorsque l'un de nos hôtes bassari, à l'aube, me servira de guide pour me conduire au camp des initiés, lorsqu'il me dira : « Pas cette piste! Regarde : l'ancêtre a dit non! » je déchiffrerai avec lui la parole d'avant les mots, celle du buisson dont les branches signifient le danger, celle du nuage ou du caillou, le langage de symboles qui donne à un paysage une expression aussi évidente que celle d'un visage humain portant la menace ou l'invitation, la colère ou la joie. La vibration de sa main noire sur mon épaule ou mon bras fait passer en moi la confiance ou l'effroi qui l'animent, et le cercle dans lequel je pénètre s'agrandit : la nature entière s'humanise et mon compagnon noir m'entraîne en communauté avec elle et avec lui, avec les forces amies ou hostiles de l'ancêtre et des dieux. Ainsi m'est révélé un rapport possible et, pour moi Occidental, merveilleusement nouveau, avec la nature, avec l'autre homme, avec le sacré. Un rapport avec la nature qui ne me place pas en face d'elle dans une attitude de conquérant, comme la technique, mais d'amoureux. Je ne dis plus, avec Descartes : la nature m'appartient, mais avec le Bassari, comme avec un artiste chinois ou balinais : j'appartiens à la nature. En continuité avec mon corps et ma vie je saisis le divin dans la poussée des sèves. Au repas du soir, dans une véritable communion eucharistique, dans ces cases où j'ai découvert depuis quatre mois tant de frères, nous partageons le mil, et nous vivons un rapport avec l'autre que nous avons depuis longtemps perdu en Europe : au delà de la jungle individualiste et de la chiourme totalitaire, c'est ici la communauté, où il est inconcevable qu'un frère ou un fils prête à son parent et en attende retour. Toutes ces dimensions perdues de l'homme blanc je les retrouve encore, à des milliers de kilomètres de là, en pays gouro, en Côte-d'Ivoire, où j'apprends la bouleversante leçon du masque sculpté. C'est bien autre chose qu'une œuvre d'art : un condensateur d'énergie. Le sculpteur anonyme, comme s'il travaillait avec toutes les mains de son village, concentre dans le masque les énergies de la terre et de sa végétation, des ancêtres et de leurs dieux, et lorsque le danseur, vêtu de fibres et le visage sous le masque, fait vibrer le sol sous ses pieds nus qui semblent voler dans la poussière, il irradie dans la communauté toutes ces forces qu'il rassemble en lui. Le geste de chaque main deviendra plus puissant, comme s'il était habité par un dieu. Telle est la loi du masque, qui ordonne et harmonise la vie de tous.

Quelques milliers de kilomètres encore, vers le nord, cette fois, et me voici dans l'atelier de peinture de Ludmilla Tcherina, où, curieusement, je revis une expérience semblable qui m'aide à redé-couvrir d'autres dimensions perdues. Dans son studio de danse, avec ses barres où sont aujourd'hui installées les toiles, avec ses miroirs où elles se reflètent, elle peint ce que seule une femme, danseuse et tragédienne, peut peindre : le mouve-ment intérieur de la danse et de la tragédie s'inscrit sur la toile comme sur un sismographe. Dans la série de ses toiles sur le thème des « étreintes », ce ne sont pas des corps qui se meuvent, mais des mouvements qui se cristallisent en figures, des forces qui engendrent des formes, comme dans une peinture chinoise des Song ou dans les danses mythiques que j'ai vues à Bali. Ce sont les mouvements archétypes de la vie, de l'amour, de la mort, tous les thèmes de l'ellipse, de la spirale, de la circonférence, de l'ovale ou de la sphère, dans lesquels seuls peuvent passer, sans y figer leur course, les trajectoires sans fin. Chaque corps est l'incarnation provisoire d'un tourbillon qui le dépasse, d'une étreinte avec le monde qui érotise la nature entière, et en suggère la transcendance par son emportement au delà de l'image qu'il a suggérée, fugitive, à son passage. Dans ce tableau, qui est promesse d'un monde où s'inventent et s'enfantent à chaque instant l'unité divine de l'amour et l'indication de sa transcendance, je redécouvre, comme au cœur de l'Afrique ou à Bali, le sens de la totalité à laquelle j'appartiens, et je me sens réintégré dans le cycle sans fin des métamorphoses de l'univers. Ce qu'il y a de plus profond en moi, ce n'est pas l'individu, qui est l'ensemble de mes limites — mais le tout qui en est la source, le centre de jaillissement de la création.

Le thème de l'étreinte, au delà de lui-même, n'est qu'un maillon humain, ou plutôt un enroulement local de ce maelström, de cette grande étreinte cosmique en laquelle se nouent et se fécondent l'homme et la nature, l'homme et la femme, l'homme et Dieu.

L'on ne saurait parler, à propos de ces toiles, d'une dimension perdue ou retrouvée. Il s'agit d'une dimension créée, d'une dimension par laquelle la peinture devient autre chose que la peinture : un indicatif de transcendance, un signe de l'appel au dépassement.

J'ai ainsi retrouvé une autre dimension : celle de l'ouverture à l'autre, au tout autre, celle de l'attente et de la visitation, dimension féminine, niée par notre civilisation techniciste et masculine, prométhéenne, avec tout ce qu'elle comporte de grandeur, mais aussi de suffisance et de fermeture, cette

28

civilisation qui a fait des vies marginales avec Sappho ou Flora Tristan.

Ce n'était pas seulement un enrichissement personnel : la découverte de cette partie de moi-même qui me manque ou qui, en moi, reste embryonnaire et trouve désormais son épanouissement ; c'était plus encore : cette dimension féminine de la création, qui n'a jamais connu dans notre civilisation occidentale sa véritable floraison, je venais de la rencontrer, exprimée d'ailleurs avec une force virile. Intégrer à l'homme total toutes ses dimensions était, depuis quarante années, ma raison d'être : christianisme et marxisme, dialogue avec les civilisations non occidentales. Et voici que m'apparaissait une autre composante de l'humain. En faire éprouver la nécessité à une époque qui l'ignorait, c'était une nouvelle raison de vivre.

Quelques mois auparavant j'avais décidé de mourir, une fois ma tâche accomplie. J'en avais fixé le terme proche. Maintenant s'ouvre une brèche dans mes certitudes, l'horizon d'une nouvelle existence. Il est possible de continuer de vivre, à condition de ne pas s'enfermer dans mes limites et dans celles de mes tâches limitées et finies. J'ai découvert que je n'avais pas atteint cette plénitude. Je dois encore apprendre à mériter ma mort.

L'AMOUR

De cette vie je n'ai appris qu'une chose : j'ai appris à aimer ; et je ne vous souhaite qu'une chose : savoir aimer.

ARAGON, *J'abats mon jeu.*

Hier Racine et Platon, aujourd'hui « l'éducation sexuelle » minablement positiviste. Décidément l'école s'acharne à nous désapprendre l'amour.

Il m'a fallu près d'un quart de siècle pour me débarrasser de Racine et de Platon. Je souhaite, sans trop l'espérer, que nos petits-enfants réussissent à se débarrasser plus vite de cette technique positiviste de la procréation (ou de son refus) dérisoirement baptisée « éducation sexuelle », nouvelle manière de corrompre, à la source, l'amour et même le sexe.

J'étais, hélas! bon élève, c'est-à-dire que je croyais à ce qu'on m'enseignait. J'ai cru à Racine, à une passion qui portait en elle un mélange de fatalité grecque et de prédestination janséniste, une force aveugle, mais déguisée en habits de cour et pliée tant bien que mal aux règles de « l'amour tendre ». J'étais tellement fasciné (et je le suis encore) par la poésie, que je ne m'apercevais pas que l'on mutilait ainsi l'amour de ses dimensions

31

fondamentales : liberté et création, et non pas
fatalité.

Plus tard Platon n'arrangea rien : sur l'amour
comme sur la connaissance et sur la vie en général,
Platon nous présente toujours l'image inversée du
réel. En tout domaine, en prenant le contre-pied de
Platon, cette encyclopédie millénaire de l'illusion et
du mensonge, l'on a des chances de commencer à
rencontrer la vie. Depuis Socrate, et son systémati-
seur Platon, tout ce qui n'est pas réductible à l'idée
n'a pas d'existence. Cet intellectualisme occidental,
depuis lors, a crucifié la vie sur la croix du concept.

Et nous voici mutilés de l'essentiel, de tout ce qui
déborde l'ossuaire des concepts : Platon chasse les
poètes de la cité et l'art en général n'a de place que
comme propagandiste de l'ordre des lois éternelles ;
la foi n'est plus qu'une forme inférieure du savoir :
croyance, sinon crédulité ; l'action n'a plus qu'à se
couler dans l'armature préfabriquée du monde des
concepts, depuis le travail manuel, bon pour les
esclaves, jusqu'à l'action morale qui n'est que
conformation, conformisme ou conformité à l'ordre
éternel ; tout comme l'amour d'ailleurs, qui n'est
pas davantage créateur ; il est le mouvement qui
nous arrache au monde sensible, terrestre, pour
nous « élever » aux archétypes célestes du monde
« intelligible » et divin!

Cet amour, défiguré par le dualisme meurtrier du
sensible et de l'intelligible, du corps et de l'âme,
n'est pas l'amour de l'autre. L'autre être humain
n'est que la métaphore ou le signe d'autre chose: il

n'est qu'un escabeau pour se hisser vers la sphère cristalline, à l'air raréfié, des idées et du bien.

Tout dans cet amour est négation et finalement abstraction. Ce n'est l'amour de personne, sinon de l'amour lui-même.

Avant d'être perverti par ce platonisme, le christianisme a pourtant réalisé une inversion profonde : de même qu'il avait transformé radicalement la signification de la liberté (substituant à la conception grecque de la liberté, conscience de la nécessité, une liberté qui soit participation à l'acte créateur), de même il a transformé radicalement la signification de l'amour : on passe de la conception platonicienne de l'amour de l'amour, à l'amour de l'autre, comme existence concrète. Au lieu de nous séparer du monde, voici enfin un amour incarné, réhabilitant la valeur du monde de l'autre.

Ce qu'il y a de merveilleux dans l'Incarnation, c'est que Dieu, cessant d'être, comme chez les Grecs, totalité abstraite du « Bien », ou « moteur immobile » de l'univers, prend le visage d'un homme, peut être aimé comme un être humain, et même ne peut être aimé que comme un être humain. Chaque homme, chaque femme, par cet amour, nous appelle à franchir nos limites, à ne trouver qu'en l'autre ce qui nous manque pour exister plus pleinement.

L'amour nous dit la même chose que la mort... Nous sommes conviés par l'amour à sortir de nous-mêmes, à dépasser nos propres forces, à donner cette chose en nous que nous ne connaissons pas.

Il est le contraire de la jalousie, corollaire de la possession, de l'avoir.

Cette possession jalouse est le contraire de l'amour parce qu'elle tend à réduire notre partenaire à nos propres dimensions; elle tend à détruire en lui ce qui est irréductiblement différent de nous. Alors que l'amour est ouverture à l'autre, pari sur ses possibilités sans fin de métamorphose et de création. « Je t'aime telle que tu es. » C'est ainsi que la mystique Angèle de Foligno entendait l'appel du Christ. Ainsi seulement, en reconnaissant à l'autre son espace de liberté et de mystère, en voulant qu'il s'épanouisse selon sa propre loi, l'amour peut être fécondation réciproque et non appauvrissement.

Aimer un homme ou une femme, c'est découvrir une dimension nouvelle de la vie, un nouvel et imprévisible avenir.

« La femme est l'avenir de l'homme, écrivait Aragon. Elle est parce qu'elle va être... Elle est pour celui-là qui voit dans le futur la réalité victorieuse » (*Le Fou d'Elsa* p. 220).

L'amour est la preuve de l'existence des autres et de l'existence de ce monde souverainement réel : le futur, qui seul donne sens au présent. « C'est de Fougères que je tiens l'existence des autres, écrit Aragon dans *La Mise à Mort*... Jusqu'alors je ne jugeais de tout que par rapport à moi... j'ai perdu ce sens subjectif des choses qui s'organisaient jusque-là par rapport à moi... Voilà que je me suis mis à voir le monde objectivement. » La rencontre d'amour crée une nouvelle source, ouvre une brèche dans chaque existence, et le monde s'en trouve agrandi.

L'amour est ainsi intimement uni à l'histoire (et à la politique qui est l'histoire en train de se faire) : dans *Le Fou d'Elsa,* le héros ne peut aimer pleinement dans un monde qui se défait : « C'était le jour où Grenade fut prise. » Si « la femme est l'avenir de l'homme », l'homme ne peut pas aimer quand il n'y a pas d'avenir, pas d'espérance.

Lorsque j'apportai à Aragon le manuscrit de l'ouvrage que je venais d'écrire sur lui, *L'Itinéraire d'Aragon. Du surréalisme au monde réel,* il me fit seulement deux remarques : « Partout où, dans ton livre, tu parles, à propos de moi, d'espoir, tu devrais rayer ce mot. » Et, comme j'étais réticent, il ajouta : « Ou alors, précise : espoir « historique », car, pour la durée de ma propre vie, je n'en ai aucun [1]. »

La deuxième remarque portait sur Elsa. Nous étions à son « Moulin » et, de 2 heures de l'après-midi à 9 heures du soir, arpentant, à son habitude, la pièce, il me parla de sa vie qui était celle d'Elsa. Jamais je n'avais entendu un homme parler ainsi d'une femme en un jour d'interminable jeunesse. J'avais l'impression, écrivant tout, sans réfléchir, de faire, comme les surréalistes, de l'écriture automatique, sous la dictée d'un autre monde dont l'amour est la loi.

Il conclut : « Je t'ai raconté tout ça parce que je

---

1. Il faisait alors une dure expérience de l'histoire en écrivant celle de l'Union soviétique dans *L'Histoire parallèle* qu'il composait avec André Maurois (chargé de l'histoire des États-Unis).

sais que tu n'en feras pas récit, mais c'est pour te situer les choses. »

Plusieurs années plus tard   au cours de l'une de ces sessions du Comité central où, pour passer discrètement le temps pendant le ronron de certains discours nous nous glissions de petits papiers, je poussai sous son coude un feuillet lui disant : « Dans l'article que je prépare sur ton dernier roman je voudrais montrer que tu as fait pour le temps romanesque ce que Cézanne a fait pour l'espace pictural. » Il me redonna le papier en y ajoutant cette réponse : « Je te ferai remarquer que ce qui est dans *La Mise à mort* sur le temps, est en réalité un développement qui a son origine dans ce qui est dit sur le même sujet dans *Le Grand Jamais* d'Elsa. Je te dis ceci pour placer les choses à la fois dans leur ordre de succession, mais aussi dans leur ordre de subordination. C'est-à-dire chronologiquement et hiérarchiquement. » Savoir aimer à cette profondeur d'existence, avec la si fière humilité d'accueillir comme un don et comme une nouvelle dimension de soi ce qui vient de la femme aimée, a fait d'Aragon, indivisiblement, un poète et un militant.

C'est pourquoi, lisant, en 1974, son *Théâtre roman,* j'ai éprouvé une grande angoisse fraternelle en entendant dire à son personnage : « Toutes les femmes que j'ai aimées, je les ai aimées comme miroir de moi-même. » Ne seraient-elles plus des brèches et des sources? Serait-il vrai qu'en choisissant une politique sans espérance il ait, d'un même mouvement, abjuré l'amour? Si la femme aimée est l'avenir de l'homme, elle n'a plus de réalité lorsque l'homme n'a plus d'avenir, plus d'espoir, même historique.

« Et je suis là, devant le grand désastre de mes jours... je me regarde mourir... Je ne sais plus qui je suis, j'ai oublié qui je fus, je ne crois pas que je vais être. » Louis, est-ce toi qui parles? Je voudrais être sûr que c'est seulement l'un de tes personnages. Je voudrais croire que tu n'es pas perdu pour l'espérance. Une partie essentielle de moi le serait avec toi.

Sans amour un homme ou une société peuvent fonctionner, mais pas exister. Une révolution socialiste ne sera pas le triomphe de la science mais de l'amour.

C'est pourquoi Aragon a une telle importance dans ma vie. Il disait un jour : « Marx a remis sur pied la dialectique de Hegel, moi je vais essayer de faire à peu près la même chose avec la mystique. »

La poésie et l'amour sont en effet les formes les plus immédiatement saisissables de la transcendance de l'être. « Dans l'objet même de mon amour, dit-il encore, je trouve le principe par quoi je suis créé. » « La seule preuve de l'existence de Dieu est l'amour. »

Si l'avenir n'appartient qu'à ceux qui sont capables d'avoir foi dans l'amour, c'est que l'expérience de l'amour est expérience de l'absolu : celle qui nous fait, tout ensemble, prendre conscience de nos limites et de notre pouvoir de les franchir.

Comme la prière, l'amour c'est d'être éveillé, prêt à l'offrande, comme ouvert à l'accueil.

Cet amour total ne sépare pas le corps et l'âme, qui ne sont que deux abstractions, deux angles de prise de vue sur une réalité unique. Il en est de l'amour comme de la foi : il est deux manières de le trahir, soit en ne croyant qu'à la terre et au corps, soit en les désertant.

Il n'y a nul blasphème dans le poème de Novalis :

> *Ils sont rares, ceux qui connaissent*
> *le mystère d'amour,*
> *ceux qui ressentent la faim insatiable*
> *et la soif éternelle.*
> *Le sens divin de la Cène*
> *est une énigme à nos sens mortels.*
> *Mais celui qui a bu*
> *sur des lèvres chaudes et aimées*
> *l'haleine de la vie,*
> *celui dont le corps s'est senti fondre*
> *en ondes frémissantes à ce divin brasier*
> *. . . . .*
> *celui-là mange la chair du Seigneur*
> *et boit son sang à jamais.*

Rares en effet, ceux qui font l'expérience de l'amour à ce niveau de profondeur. L'amour est aussi rare que le génie : en un millénaire il n'y a probablement pas beaucoup plus de couples authentiques qu'il n'y a de Shakespeare ou de Beethoven.

L'institution du mariage, féodal ou bourgeois, a beaucoup contribué à cette déchéance de l'amour, en subordonnant les rapports sexuels à d'autres normes que celles de l'amour, notamment celles du sang, de la puissance, de l'argent ou de l'opinion.

C'est pourquoi la famille, telle qu'elle est encore conçue aujourd'hui, est une façon de régler les rapports entre les sexes qui a fait faillite.

La jeunesse expérimente désormais d'autres formes du rapport humain et du rapport sexuel. Ses erreurs et ses échecs sont féconds, comme ses réussites.

Il est trop tôt pour faire le bilan de cette mutation. Mais déjà se dessinent quelques lignes de force de l'avenir naissant.

D'abord le refus de la vieille perversion dualiste du christianisme selon laquelle les relations sexuelles sont entachées de quelque déchéance et de quelque souillure.

J'ai toujours eu l'impression, en entendant parler de « l'Immaculée Conception », que l'on trichait avec l'Incarnation : si le Christ était né comme tous les hommes, sa conception serait « maculée », souillée ! C'est un dogme qui insulte chaque mère et qui rejette Jésus en dehors de la nature et de l'histoire, en dehors de la condition humaine.

Il est vrai que, dans sa légitime réaction de rejet de préjugés millénaires, notre jeunesse, en ce dernier quart du XXe siècle, recrée un dualisme inverse par le séparatisme du corps. Amour « platonique » ou sexualité comme jeu ou comme sport, ce sont deux manières de rompre l'unité humaine, d'ignorer la plénitude de l'amour.

Ce serait une grande illusion de croire qu'il suffit de rejeter la « sexualité de papa », avec ses tabous, pour retrouver la pureté de la nature. Nous ne pouvons pas faire l'amour comme l'homme de Cro-Magnon, car le sexe, comme tous nos autres sens, comme notre œil ou notre oreille, est habité par toute une histoire : la sexualité, comme la vue ou l'ouïe, n'est pas un fait de nature, mais le produit d'une culture. Même une anticulture porte l'empreinte de son époque : nier la culture existante, en prendre le contre-pied, c'est encore se définir par rapport à elle. Dans le cas particulier de l'amour, répudier les vieux spiritualismes édentés est une réaction salutaire, mais retomber dans le positivisme minable de nos « sexologues », ou dans le culte hippie d'un mythique « âge d'or », c'est encore un phénomène d'époque.

Le christianisme traditionnel, archaïque, jusqu'à ces dernières années, n'a pas aidé à clarifier le problème : d'abord parce que, en substituant à la saine totalité biblique de l'homme le dualisme grec, il a aisément confondu l'expérience chrétienne de la totalité avec les hiérarchies féodales ou bourgeoises de la matière et de l'esprit, du corps et de l'âme. Ensuite en affirmant que l'union des sexes est bonne seulement en vue de la reproduction, on la réduisait paradoxalement à sa seule dimension zoologique, au lieu de voir aussi dans les rapports sexuels de l'homme et de la femme la célébration de la plus profonde relation humaine : celle du partage de l'être, c'est-à-dire de la conscience de n'exister pleinement que dans le dialogue avec l'autre, dans l'accueil à l'interpellation de l'autre, lorsque notre centre de gravité se trouve en dehors de nous, dans l'acte d'amour, indivisiblement physique et « spirituel » (deux termes que l'on ne peut séparer que par abstraction). Ce n'est pas un langage d'avant les mots, mais au contraire un langage d'après les mots, comme la poésie, la musique, les arts en général, lorsque l'on ne peut plus s'exprimer seulement avec une partie du corps : la bouche, le langage des symboles abstraits, mais avec tout son corps, comme dans la danse, avec tout son corps par la caresse, le sexe et la vibration totale du cri.

La « morale » est ainsi devenue répressive, pour intégrer l'individu à un système social et à un système de pensée et de valeurs. Dès que l'amour n'est plus reconnu comme le rapport fondamental avec l'autre, il paraît subversif — et il est effectivement subversif — car il fait éclater la laborieuse construction d'un ordre où chaque individu est considéré isolément, comme un atome, puis utilisé comme un élément d'une totalité, comme une brique dans un édifice, où l'architecte lui dénie naturellement, comme à tout objet, ce que nous avons appelé son espace de liberté et de mystère. L'amour est le contraire à la fois de l'individualisme et du totalitarisme qui ne sont que les deux pôles de l'oppression.

De là le mépris du corps, de sa nudité, qui exige abandon des rôles, des hiérarchies, des uniformes, des étiquettes. Les plages et les camps naturistes sont ainsi contraints à une existence de ghetto alors que, par une expérience d'un quart de siècle, je puis témoigner y avoir rencontré une santé et une pureté qui contrastent avec les hypocrisies et les perversions grouillant en d'autres lieux, sous les travestis des fausses pudeurs.

De là aussi cette étrange conception de la « vertu » féminine qui n'aurait d'autre fondement que la peur de la maternité, et qui engendre jérémiades et imprécations archaïques contre la « pilule » ou l'avortement.

En réalité, la vision occidentale du monde s'est lamentablement appauvrie, une première fois avec le concept grec et ses chevaliers à la triste figure, une deuxième fois avec l'intellectualisme unilatéral, le scientisme et le technicisme de la Renaissance.

Descartes a inventé la pensée insulaire : « Je pense, donc je suis. » Au commencement était la pensée. A la fin aussi. Une pensée sans corps, sans monde et sans amour. Avec la complicité d'un étrange Dieu abstrait, d'un Dieu sophiste et faux témoin, il retrouvera tant bien que mal — et plutôt mal que bien — le monde. Il s'y installera en conquérant, avec la promesse d'une « science qui nous fasse maîtres et possesseurs de la nature ». Vous savez : cette science agressive qui en quatre siècles a détruit la nature, par l'épuisement des ressources naturelles et la pollution, l'homme par la manipulation ! « Je pense, donc je suis. » C'est le pire point de départ : nous n'en sortirons pas. Solipsisme disent les pédants. Égoïsme, c'est le nom de la même chose.

Descartes ne sortira de son île, pour trouver un corps, que par un autre coup de force philosophique : la glande pinéale ! Pour recoller « l'âme » et le corps.

Et voici quatre siècles de philosophie individualiste et dualiste par peur de remettre en cause le
postulat selon lequel ce qui n'est pas réductible au
concept n'a pas de réalité, de Spinoza à Althusser,
et d'Auguste Comte à Jacques Monod.

Au lieu de reconnaître tout simplement que la
première expérience vitale (nous liant au monde et à
notre corps) n'est pas « je pense », mais « nous
aimons ». Car je peux avoir l'illusion de penser seul
(en oubliant seulement que *ma* pensée est habitée
par les millénaires de l'aventure humaine), mais je
ne peux avoir l'illusion d'aimer seul.

L'amour commence lorsque l'on préfère l'autre à
soi-même, lorsqu'on accepte sa différence et son
imprescriptible liberté. Accepter que l'autre soit
habité par d'autres présences que la nôtre, n'avoir
pas la prétention de répondre à tous ses besoins, à
toutes ses attentes, ce n'est pas se résigner à
l'infidélité à notre égard, c'est vouloir, comme la
plus haute preuve d'amour, que l'autre soit d'abord
fidèle à lui-même. Même si cela est souffrance pour
nous, c'est une souffrance féconde parce qu'elle
nous oblige à nous déprendre de nous-mêmes, à
vivre intensément cette dépossession enrichissante :
dans la plus amoureuse étreinte, c'est un être libre
que nous étreignons, avec tous ses possibles, même
ceux qui nous échappent.

Être capable d'accueillir en l'autre cela même qui
éveille l'animale jalousie, qui est signe d'amour-
propre et non d'amour. Cette communication est
pleine de risques, mais les crises qu'elle engendre,

lorsqu'elles sont surmontées, sont la condition d'un double dépassement.

Rien n'est plus grand que ce partage de la véritable personnalité de chacun. L'autre nous interpelle, fût-ce en nous heurtant, et même si le choc nous brise, il nous oblige à renoncer à notre fermeture possessive, à devenir autre par la révélation de l'autre.

Un amour qui n'est pas cette création continuée de l'un par l'autre, fût-ce au prix des déchirements tragiques, est le contraire de l'amour. Nul n'est digne de l'amour qui n'est capable de le conquérir dans une bataille de chaque jour, contre toutes les jalousies stérilisantes, qu'elles se traduisent par la brûlure du sexe, par la déréliction de l'absence, par les blessures de la tendresse, par le doute sur la signification dernière de notre engagement.

Qui n'est pas prêt à affronter tout cela n'est pas digne de l'amour. Tout au plus sera-t-il un fonctionnaire du sexe, un bureaucrate comptabilisant les plaisirs parce qu'il n'a pas la force de vouloir la joie suprême : celle de l'amour créateur.

Nous avons besoin, aujourd'hui, pour établir des rapports nouveaux avec la nature, avec les autres, avec notre avenir, d'une nouvelle sagesse totale, qui, nous exhumant du cercueil mathématique et conceptuel, nous aide à prendre conscience que la raison n'est pas la forme la plus haute de la connaissance et à distinguer :

— l'*objet,* qui ne peut être manipulé que par le *concept ;*

— le *sujet,* qui ne peut être appelé que par l'*amour ;*

— le *projet,* qui ne peut être désigné que par le mythe, la poésie, ou la foi.

LA MORT

Il ne peut rien nous arriver de plus beau que la mort.

Walt WHITMAN, *Départ pour Paumanok.*

J'aime la mort du même amour que la vie.

Parce qu'elles ne font qu'un.

La mort — j'entends la mort naturelle, après une longue vie de travail et d'amour — n'est pas une limite, une négation de la vie. Elle donne, au contraire, à la vie sa signification la plus haute.

Ma propre mort est un rappel constant que mon projet n'est pas un projet individuel. Je ne suis un homme que si je participe à un projet qui me dépasse. La mort seule rend possible que je fasse des choix témoignant que je juge tel projet supérieur à ma vie, des choix qui transcendent ma vie. Si je ne devais jamais mourir je serais donc mutilé de cette dimension spécifiquement humaine : la transcendance. Il n'y aurait rien que je puisse préférer à ma vie individuelle. Il n'y aurait pas de transcendance. Il n'y aurait pas non plus d'amour. D'amour tel que je puisse préférer l'autre à ma propre vie. Il y a un don suprême que je ne pourrais pas faire : celui de ma vie.

47

Ce don me définit comme personne par opposition à l'individu.

L'individu c'est l'ensemble de nos « propriétés », au double sens du mot : nos possessions et nos particularités. Nos titres — de banque ou de gloire — notre silhouette et notre visage, l'histoire anecdotique de ce que nous avons fait, ou cru faire ; tout ce qui constitue notre « avoir » et non pas notre « être ».

La mort, c'est la mort de l'individu. Toute tentative de soustraire l'individu à la mort n'est qu'une consolation illusoire qu'on se donne : qu'il s'agisse de la croyance animiste à la survie d'un « double » ou de la prétendue immortalité de l'âme de Platon.

La mort n'est angoissante que pour qui se limite à son individu, s'accroche à ses propriétés. Car tout ce qui est individu sera détruit par la mort. Individu biologique et personnage social ne survivent pas au naufrage.

Quel est donc, au delà de « l'avoir », cet « être fondamental » qui, en nous, n'est pas voué à la mort ?

C'est le contraire de l'individu : la personne, capable de transcendance et d'amour. La personne se constitue par nos réponses aux interpellations de l'amour, c'est-à-dire des autres ; lorsque je suis capable de les préférer à ma propre vie individuelle, et que, par ce don, je dépasse les limites de mon individualisme, j'affirme ma transcendance. C'est toujours un risque, un pari, une foi et une espérance, au cœur de tout acte qui n'est pas seulement la résultante ou le produit des conditions déjà existantes et qui fait émerger du radicalement neuf, dans le sacrifice ou la création.

Cet acte d'amour, cet acte de foi et d'espérance ne s'inscrit pas dans le temps des astres, des saisons et des horloges.

Le temps physique est celui que nous déployons, comme le pêcheur déploie son filet, pour ordonner en série des causes, capter et manipuler les choses. Serions-nous ce pêcheur assez maladroit pour s'emprisonner dans son propre filet? Nous le sommes lorsqu'en amont et en aval du présent nous traçons une ligne abstraite, prolongée à l'infini à ses deux bouts, suggérée par le mouvement des étoiles, celui de nos jouets mécaniques, l'étagement des fossiles dans le sol ou la durée de désintégration d'une particule, et lorsque nous essayons de situer par rapport à ce calendrier nos angoisses, nos nostalgies, nos espoirs, nos enfers, nos paradis ou nos âges d'or.

Tracer cette ligne abstraite, qui n'a de sens que pour mesurer et maîtriser le mouvement des choses, y compris celui de la décomposition des cellules d'un cadavre, imaginer naïvement que nous pouvons sauter par-dessus notre ombre, c'est-à-dire sortir de la vie pour la regarder du dehors, faire de cette vie d'homme un segment du devenir des choses, c'est dévaluer la vie au profit d'une illusoire, abstraite, fantomatique éternité. Car c'est croire que la vie n'a pas de sens en elle-même, ou du moins pas assez de sens, et chercher à lui en donner un du dehors, à partir de ces coordonnées géométriques.

Toutes les fables menteuses sur les autres vies venant « après la mort » et qui ne peuvent que dévoyer l'espérance, naissent de cette conception du temps.

En fonction de ce temps l'on crée l'illusion que la mort est une coupure. Alors que, comme il est écrit dans le Mahabharata, « en dehors du temps on ne meurt ni ne naît ».

Le temps réel, le temps vivant (et pas seulement vécu), n'est pas le ruissellement de fleuve de Bergson, c'est un acte : un acte de foi, un acte d'amour, un acte créateur. Il est tout ce qu'ignorent Épicure ou Lucrèce, lorsque, situant la mort à partir d'agrégations ou de désagrégations de constellations d'atomes, ils proclament : « Lorsque tu es là, la mort n'y est pas ; lorsque la mort est là, tu n'y es plus. »

La mort n'a pas ce caractère passif ni ce caractère ponctuel.

Parce que la vie ne l'a pas.

L'éternité n'existe pas dans une autre vie. Pas dans un autre monde. Pas en dehors du temps.

Elle existe dans cette vie. Dans ce monde qui est le seul monde. Dans notre histoire humaine qui est la seule histoire.

Oui, il existe un royaume inaccessible à la mort. Il n'existe nulle part ailleurs que dans la vie lorsqu'elle est une vie pleinement humaine, c'est-à-dire divine, consciente de participer à la création.

La méditation sur la mort est une réflexion sur la vie, sur sa réalité profonde et son sens.

Je pense. J'aime. Je crée. Ce sont là les matériaux de la vie et de la mort.

Ils émergent en moi sans que j'en sois le maître.

Je pense. Cette pensée n'est pas la mienne. Le monde se pense en moi.

J'aime. Cet amour n'est pas le mien. L'autre s'aime en moi.

Je crée. Cette création n'est pas la mienne. Dieu crée en moi.

Je pense. Cette pensée, lorsqu'elle n'est pas un reflet ou une redite, mais une pensée réelle, créatrice (création d'une action ou de moi-même), cette pensée n'est pas la mienne. Car je ne peux jamais, à partir de ce que j'ai déjà conçu, déduire une pensée nouvelle : je puis brasser des souvenirs, des impressions, des rêves, mais si je ne les dépasse pas, ce n'est encore que rumination mentale. La pensée commence avec l'émergence d'une hypothèse, d'un modèle, d'un projet radicalement nouveau par rapport au passé, qui le met en perspective et lui donne un sens. Or, ce dépassement, cette émergence, je n'en suis pas maître ; je ne puis les susciter à mon gré. Je peux accumuler les matériaux, en analyser les rapports, multiplier des essais de construction nouvelle, bref, mériter par l'effort la grâce d'une visitation, mais je ne puis commander la nouveauté : elle survient et m'envahit comme une illumination et un don. Un monde en moi prend forme. Jusqu'à ce qu'à son tour il se désagrège, que naisse en moi le doute, que s'impose une remise en question, et, au delà, la recherche d'une nouvelle conception vivante qui germe et bourgeonne en moi. La pensée de chacun de nous est comme une branche d'un arbre qui se ramifie à l'échelle de l'espèce entière des pensants, qui se diversifie en chacun. S'étiole parfois. Ou au contraire s'étend, produit ses fleurs et leur pollen qui fécondera d'autres fleurs, donnant naissance à des fruits nouveaux.

Cette pensée n'est pas la mienne, le monde se pense en moi.

J'aime. Cet amour, s'il n'est pas un pauvre tumulte provisoire de mes sens ou une illusion de l'imaginaire, mais une floraison, en moi, de tous les pouvoirs de mon corps, de mon sexe, de ma pensée, de mes rêves, de mon goût du sacrifice, à l'appel d'un autre, qui n'est pas plus que moi un individu solitaire, séparé de moi comme un caillou d'un autre caillou, mais un autre qui est ce qui me manque et qui m'appelle à être, ce dont j'éprouve avec douleur et avec émerveillement le besoin et le désir, cet amour n'est pas le mien. L'autre s'aime en moi.

L'individualisme a engendré l'angoisse de la mort. Et voici qu'à partir de cette maladie éphémère et « provinciale » qu'est l'individualisme occidental, l'on déclare la mort « impensable », révoltante et absurde. L'obsession de soi a conduit à l'obsession de la mort.

Aucune autre époque, aucune autre civilisation, n'a conçu l'homme comme un atome isolé dans le vide (même l'atome n'est plus ainsi conçu par les

52

physiciens!), comme si l'autre homme était absolument extérieur à moi, et une limite à mon existence. Alors qu'il est la condition première et permanente de mon existence.

Je ne me définis pleinement comme homme (et non pas comme individu — cette abstraction créée par la décadence de l'Occident) que dans mon rapport à l'autre homme, à tous les hommes, dans la totalité de leur histoire et de leur culture. Je me définis par la médiation de chaque homme, dans l'acte constitutif de la vie spécifiquement humaine : l'acte d'amour. C'est la reconnaissance, en l'autre, de toutes les racines de mon existence et de toutes mes possibilités d'épanouissement (qu'il s'agisse du travail, par lequel je suis habité par tous les autres, qu'il s'agisse de l'organisation sociale, politique, sans quoi l'homme serait la plus faible des espèces animales, qu'il s'agisse de la création de la culture et de la civilisation qui sont l'œuvre commune, indivise, de l'espèce, véritable vivant et véritable acteur de l'histoire). Depuis trois millions d'années nous ne sommes qu' « un seul homme [1] ».

------

1. Lorsque Marx écrit : « L'essence humaine n'est pas une abstraction inhérente à l'individu isolé; dans sa réalité elle est l'ensemble des rapports sociaux », il ne conteste pas la réalité singulière et la consistance propre de chaque personne, pour la réduire à n'être qu'un reflet passif du tout, il rappelle au contraire la vraie place et la vraie grandeur de l'homme à l'intérieur d'un ensemble dont chaque constituant est actif et créateur. Ce que j'appelle « moi » est le nœud de relations vivantes qui m'unit à tous les autres en un tissu indissoluble.

« L'homme, ajoutait Marx, à quelque degré qu'il soit un individu particulier — et sa particularité en fait précisément un individu — est tout autant une totalité... totalité des manifestations humaines de la vie.

« La mort apparaît comme une dure victoire du genre sur l'individu déterminé... mais l'individu déterminé n'est qu'un être générique déterminé, et, à ce titre, mortel. »

Il n'y a de travail que solidaire. L'esprit ne peut exister que par la communion. Aucune volonté ne se forge dans la solitude. La participation c'est la vie. Le moi, comme conscience séparée, c'est la mort.

Cet amour n'est pas le mien, l'autre s'aime en moi.

Je crée. Créer est l'acte le plus quotidien de l'homme. Celui qui définit l'homme. Chaque homme. Il ne s'agit pas d'une conception élitiste de la création qui serait seulement invention scientifique ou technique, œuvre d'art ou génie politique, mais de ce qu'il y a de plus simple et de plus humain dans la vie de chaque femme et de chaque homme : accepter des sacrifices pour créer un enfant et l'élever, s'arracher à la seule perspective de nos intérêts individuels et de nos sécurités pour devenir un militant syndical, rompre le cercle de l'instinct pour préférer à sa satisfaction immédiate un autre homme, un idéal ou la plus humble tâche, écouter un autre homme et réorienter sa vie par cette écoute et cet amour, ce sont là des formes, accessibles à tous, de la création, c'est-à-dire de tout acte nous faisant devenir plus humains.

J'éprouve, comme l'expérience spécifiquement humaine, ce jaillissement d'être en moi, sous la forme d'invention scientifique ou technique, de création artistique, d'initiative révolutionnaire, de sacrifice, de pensée ou d'amour. Ce que j'appelle « ma conscience », sous toutes ses formes, est ce dialogue avec la création. Cette création n'est pas la mienne. Elle ne m'appartient pas.

La création se crée en moi. Peut-être est-ce là

l'expérience vécue la plus irrécusable de la « présence de Dieu ». Peut-être dire : je crois en Dieu, signifie-t-il : j'ai conscience que la création se poursuit en moi, à travers moi, en requérant mon effort, ma pensée, mon amour, mon sacrifice. Je participe à la création. Je ne me définis pleinement comme homme que par cette participation.

La création est la forme suprême de cette participation à un ordre d'existence échappant à la mort, la transcendant. La pensée et l'amour n'en sont que des moments.

C'est appauvrir la vie que de ne la concevoir que sous la forme abstraite et impersonnelle de la pensée, comme Platon, pour qui la mort est l'abandon par l'âme de la prison du corps. Dualisme meurtrier de l'âme et du corps, de « l'ici-bas » et de « l'au-delà », qui dévalue nécessairement le corps et la terre au profit de l'âme et du ciel. Chaque fois que le christianisme s'est laissé contaminer par ce platonisme funeste de l' « immortalité de l'âme » il est devenu doctrine d'évasion et de conservatisme.

Ce n'est pas seulement la pensée qui nous sauve de la mort.

C'est l'amour et la création.

J'appelle Dieu cette source inaccessible et proche, cette présence personnelle et aimante, qui pense en moi lorsque je pense, c'est-à-dire lorsque je conçois de nouveaux possibles, de nouveaux projets, lorsque je les réalise par mon travail, et qu'affleure ainsi une pensée ou une œuvre qui dépasse, qui transcende l'ensemble jusque-là constitué de ce que j'ai connu, conçu et fait jusqu'ici.

Il est aussi ce qui aime en moi lorsque, franchissant les frontières de mon individualisme, je préfère l'autre à moi-même dans le difficile et merveilleux amour qui me fait accepter de mourir pour lui comme de m'ouvrir à lui et pour lui à des conversions ou des métamorphoses de moi-même. C'est la deuxième expérience du dépassement et de la transcendance.

Il est enfin, il est surtout, ce qui crée en moi par cette pensée, par cet amour, par tous les actes et toutes les œuvres qui constituent ma contribution personnelle à la création, dans le travail, la connaissance, l'art, le sacrifice, la révolution ou l'amour. C'est l'expérience majeure de la transcendance.

Dieu pense, aime, prie, crée en moi.

Il meurt en moi, avec moi, lorsque je n'ai plus la force de devenir autre chose et plus que ce que l'ensemble des conditions de ma vie m'ont déterminé à être, lorsque ma vie n'a plus cette dimension de transcendance, lorsque je ne parviens plus à créer de nouveaux possibles, de nouveaux projets ; à vivre une nouvelle expérience ; lorsque je me ferme à l'amour et que je me replie et m'isole dans l'individualisme, que j'accepte ainsi d'*être moins* pour *avoir plus*, lorsque je cesse d'être créateur, poète ou prophète, pour m'incarcérer dans une forme acquise. Alors je vis l'abattement des situations sans espérance.

Comment ne pas croire à la résurrection, celle du Christ et la mienne propre — qui sont indissoluble-

ment liées, comme en témoigne saint Paul —
lorsque éclatent et s'épanouissent, comme bour-
geons au printemps, dans des Pâques éternelles,
cette allégresse du projet neuf et de l'action, cette
jeunesse infinie de l'amour, cette extase de la
création? Comment ne pas célébrer joyeusement ce
Dieu de l'amour et de la mort, ce Christ des
Béatitudes, de la Croix et de la Résurrection?

Cette création n'est pas la mienne. Dieu crée en
moi.

Ma vie a sa dimension d'éternité, non pas *après*
cette vie ou *au delà* d'elle, mais ici et maintenant,
lorsque je suis un ouvrier responsable d'un projet
qui me dépasse.

Ma vie a sa dimension d'éternité, non pas *après*
cette vie ou *au delà* d'elle, mais ici et maintenant,
lorsque j'ai la certitude — et lorsque je vis selon
cette certitude — que l'amour, sous sa forme la plus
haute, ne peut s'accomplir dans le rapport de toi
à moi mais dans le rapport de moi à tout par la
médiation de l'autre.

Seul l'amour nous sauve de la mort.

Parce que la mort n'est qu'un plus grand amour :
le don de notre particularité à l'autre, et, à travers
lui, au tout de la création. Ce que sainte Thérèse
d'Avila a merveilleusement perçu en pressentant
dans la mort la communion plénière avec l'amant
éternel.

Ma vie a sa dimension d'éternité non pas *après*

cette vie et *au delà* d'elle, mais ici et maintenant lorsque j'ai conscience de participer à l'acte continué de la création.

Dans une telle perspective ma mort n'est nullement absurde, révoltante ou haïssable.

Ce contre quoi nous avons à lutter, c'est contre la mort prématurée d'êtres jeunes, pleins de possibles. Cela, pour une large part, dépend de nos luttes pour un ordre social sans guerre, sans misère, et pour une organisation humaine de la société.

Mais la mort d'un vieillard, ma propre mort, au terme de ma tâche d'homme, n'est nullement une malédiction. Cette mort n'est que l'horizon dernier de la vieillesse : au fur et à mesure que je vieillis, l'éventail de mes possibles se referme, le champ de mes projets se rétrécit, je participe de moins en moins à la création. Ma mort est, dans ce mouvement, un passage à la limite.

Tout se joue dans cette histoire et dans cette vie. Nous n'y formons qu'un seul homme, qui ne meurt pas avec nous. La nature entière est mon corps. Le projet total de l'humanité, projet toujours en naissance, jamais achevé, ni dans sa réalisation ni même dans sa conception, constitue mon esprit. Je suis damné si je refuse d'en être responsable, sauvé si je contribue à sa création et à sa réalisation.

Tout ce que j'ai pu créer, par mon travail, ma pensée, mon amour, s'est inscrit et pour toujours dans la création continuée de l'homme par l'homme. A partir du moment où cette participation à la création est brisée j'ai cessé d'être vivant, même si une technique médicale absurdement devenue une fin en soi, me maintient pour un temps encore dans un état végétatif.

Nous avons entendu, à propos de l'avortement, trop de discussions byzantines sur le thème : à partir de quel moment l'embryon devient-il un être humain? sous prétexte de déterminer à partir de quel moment l'avortement devient un meurtre. Ne serait-il pas plus urgent de poser lucidement la question : à partir de quel moment un homme cesse-t-il d'être un homme? afin qu'il puisse d'avance exprimer à un médecin ou à un ami, sa volonté d'une dignité de sa mort s'il n'a pas eu la possibilité de fixer et de réaliser lui-même, librement, et je dirais joyeusement, le terme de sa vie et les circonstances de sa mort.

Ce problème a une dimension sociale : dans la logique d'un système où l'on empêche les jeunes de naître et les vieux de mourir (même si c'est pour leur conserver une vie animale ou végétale), nous aboutirons à ce résultat qu'à la fin du siècle notre planète sera habitée par une majorité d'êtres végétatifs et que nous aurons concouru aveuglément à laisser à nos enfants un monde invivable par la déchéance ou la raréfaction de la créativité spécifiquement humaine.

Il est parfaitement juste de donner liberté d'appliquer toutes les méthodes de contrôle des naissances afin que donner la vie soit un acte conscient, libre, vraiment créateur. Mais il est aussi juste de donner à chacun, devant une déchéance irrémédiable, le droit à la mort, choisie, volontaire, proprement humaine.

Ce choix volontaire n'a rien à voir avec un suicide qui serait capitulation devant l'obstacle ou le problème, refus d'inventer des possibles nouveaux, résignation à l'impasse, et rejet de cette transcendance qui est la dimension caractéristique de l'homme.

Ce choix volontaire, c'est au contraire la conscience claire que la mort, sous sa forme spécifiquement humaine, c'est l'absence du futur, l'impossibilité réelle d'un projet et d'une espérance, et la volonté délibérée de ne pas accepter passivement d'en arriver là. C'est une affirmation de transcendance.

Si ma naissance n'a pas été, pour l'enfant que je fus, une décision personnelle et libre, la mort doit l'être pour le vieillard que je deviendrai. Une mort qui ne soit pas désespoir mais un acte né de ma propre vie, dans la plénitude de la tâche accomplie et de la place faite pour d'autres vies, dans la joie des créations en naissance autour de moi.

Ce choix volontaire ne peut être un choix arbitraire, un caprice, ou une vanité d'esthète irresponsable. La décision ne peut être que dans la perspective proche d'une déchéance irrémédiable. Elle ne peut être simplement individuelle, mais concertée à l'intérieur d'une communauté lucide ou d'une amitié virile. Elle ne peut être prise non plus égoïstement, sans tenir compte de la tendresse de ceux qui nous aiment et sans mesurer la force des liens que nous allons briser, mais avec le vouloir sans faiblesse de ne pas laisser une image dégradante pour soi et pour ceux qui nous ont aimé.

« Et je ferai la mort comme je fais l'amour : les yeux ouverts », comme écrit Aragon. A quoi fait écho le poème de Rilke : « Seigneur, donne à chacun sa propre mort, née de sa propre vie. »

Cette mort lucide et volontaire est la forme dernière du dépouillement : la mort n'a plus rien à prendre à qui a su se déprendre de tout ce qui faisait de lui une particularité individuelle et possessive et non un participant actif, aimant, joyeux, à la vie indivisible du tout.

La mort de l'autre, c'est-à-dire, répétons-le, de cette partie de moi-même qui me manque et qui m'appelle à être plus pleinement en devenant autre, en devenant l'autre, dans sa différence, dans son épanouissement personnel jusqu'à la préférer à soi-même, la mort toujours possible de cet autre que j'aime, me révèle le sens le plus haut de l'amour : l'amour ne peut s'épuiser dans le rapport entre deux êtres. Notre amour, comme notre vie, n'a sa dimension d'éternité que par ce dépassement de soi dans l'autre et ce dépassement de l'autre dans ce tout dont nous ne sommes que des moments. L'amour immédiat, celui de toi à moi, étant le messager de cette transcendance.

La mort de l'espèce, lorsque le refroidissement de la planète fera de la terre un astre mort, n'est pas le naufrage de la grande aventure humaine. Pourquoi faudrait-il nous enfermer dans ce dilemme : ou bien cette épopée durera sans fin, ou bien elle n'aura pas de sens?

Quand bien même la vie ne devrait jamais renaître ou transhumer dans une autre planète, cette grande aventure de la pensée, de l'amour et de la création humaine a été vécue. Elle porte en elle sa signification et sa valeur, et je ne sais ce que pourrait lui apporter de plus son étirement dans la durée ou sa répétition dans l'espace. Le sens ne s'inscrit pas dans le temps des astronomes et des horlogers qui nous permet seulement d'ordonner les causes mais non de juger des fins. Dire que l'histoire des hommes et la vie de chacun d'eux perdrait son sens si elle ne pouvait se prolonger indéfiniment dans le futur abstrait des physiciens, est aussi absurde que de dire qu'elle est dès maintenant privée de sens parce qu'elle n'a pas toujours existé : dans les deux cas l'on confond la série des causes et la levée du sens. Il est même possible aujourd'hui que l'homme détruise lui-même sa planète : cela signifie que la victoire du sens n'est pas inscrite à l'avance dans un plan providentiel. C'est cela même qui donne valeur à notre liberté : le sens ne peut jamais nous être donné du dehors. Il nous appartient, en chaque moment, dans un dialogue permanent avec le passé de l'homme, et par un dialogue planétaire des civilisations, d'inventer la suite de notre histoire, sa valeur et son sens.

Je ne prétends pas apporter une réponse exhaustive à cette interrogation redoutable de la mort. Mais je suis assuré de deux choses : d'abord que ces questions se posent et que le rôle de la philosophie est de les poser consciemment et sans craindre la transgression des tabous; ensuite que le problème de la mort c'est le problème de la vie et que l'on ne peut y faire face à partir d'une conception indivi- dualiste de la vie, car l'individualisme nous fournit l'image même de la mort · la séparation.

LE SENS DE LA VIE

*Le temps est le sens de la vie. (Sens : comme
on dit le sens d'un cours d'eau, le sens d'une
phrase, le sens d'une étoffe, le sens de l'odorat.)*

CLAUDEL, *Art poétique* [1].

C'est déjà mal poser le problème de dire que la
vie *a* un sens. Comme on *a* une maison ou un
compte en banque.

Ce serait un scénario déjà écrit, en dehors de
nous et sans nous, que nous n'aurions plus qu'à
jouer en faisant semblant de croire à notre liberté.

La vie n'a pas de sens, si l'on entend par là une
structure préfabriquée par une Providence, par le
Progrès, par la Science, qui serait la dernière étape
d'un cheminement préconçu (du genre de la « loi
des trois états » d'Auguste Comte), par une dialectique de type hégélien où tout ce qui arrive à la fin
est déjà contenu dans le commencement, ou dans
une dialectique du « sens de l'histoire », dans
laquelle le socialisme serait l'aboutissement inéluctable d'une logique des contradictions des systèmes
sociaux antérieurs.

Est-ce à dire que la vie soit « absurde », privée de

---

1. Gallimard, coll. La Pléiade, p. 135.

sens, à la manière de Camus ou de Sartre? La vie, le monde, l'histoire sont « absurdes », nécessairement absurdes, du point de vue de la pensée conceptuelle, qui ne peut assigner à notre action des *fins* mais seulement nous donner des *moyens* pour atteindre des fins.

Les « sciences » dites « humaines » ne peuvent nous être d'aucun secours. D'abord parce que, comme les sciences de la nature, elles sont exclusivement conceptuelles, et ne nous donnent que des descriptions, des mesures et des séquences, c'est-à-dire tout ce qui est nécessaire à la manipulation de l'objet, ou de l'homme considéré comme un objet. Ensuite parce que chacune de ces prétendues sciences projette sur son « objet » un reflet de la société. L'exemple le plus typique est celui de l'économie politique considérant l'homme comme producteur et comme consommateur, à l'exclusion de toute dimension « héroïque », c'est-à-dire échappant à la seule motivation de l'intérêt. La psychologie n'est pas moins réductrice et simplificatrice dans sa technique de manipulation : qu'il s'agisse du comportement d'un rat ou d'un homme à partir de ses réflexes conditionnés, de l'interprétation érotique de ses rêves, de la prétendue « mesure de l'intelligence » ou des tests de psychologie scolaire ou de psychologie du travail pour éliminer un enfant de l'école ou un travailleur de l'entreprise, ou, dans le meilleur des cas, pour l'y intégrer, tout comme la psychologie clinique tend à l'intégrer au système de la société globale, sans parler d'autres techniques de manipulation telles que la psychologie de la publicité ou des « relations humaines » dans l'entreprise, quand il ne s'agit pas de « guerre psychologique », ou de « psychodrames » pour dépister les « meneurs » dans l'entreprise.

A l'exception de quelques recherches auxquelles les « spécialistes » dénient en général le label de « scientifiques », la psychologie est le magma pseudo-théorique mettant à la disposition de l'économie, de la politique, de la pédagogie et de la thérapeutique adaptative, quand ce n'est pas de la police ou de l'armée, les moyens de sélection, d'intégration et de manipulation nécessaires au maintien de l'ordre existant. L'adaptation à un système fondamentalement aliénant.

La sociologie s'efforçant de formuler quelques lois sur le comportement de l'homme en société et sur la comparaison des structures sociales repose, elle aussi, sur le postulat positiviste « il faut traiter les faits sociaux comme des choses », que l'on s'est repassé d'Auguste Comte à Durkheim, et à des milliers d'épigones prétendant à « l'objectivité » et à la neutralité, au lieu de reconnaître qu'il s'agit d'une arme idéologique du conservatisme ou de la contestation tendant à justifier après coup un choix primordial qui n'a rien à voir avec la science. Comme toutes les fausses sciences elle utilise l'analogie et le transfert des méthodes : positiviste, évolutionniste, fonctionnaliste, structuraliste, dialectique, cybernétique, suivant le vent dominant, et toujours instrument apologétique d'un système ou de ceux qui le mettent en question, le tout sous couvert d'oripeaux statistiques et mathématiques.

Conservatrice jusqu'en 1960, avec un surgeon critique et radical dans les années 60 et surtout
depuis 1968, elle demeure toujours orientée par une
décision politique qui serait tout à fait légitime si
elle était avouée mais qui est une escroquerie
intellectuelle lorsqu'elle prend le masque de « l'objectivité scientifique ».

La morale ne vaut pas plus : elle est l'ensemble
des règles de conduite qu'un ordre social déterminé
prescrit à l'individu pour qu'il s'intègre au système
et le serve. Tout le reste est justification pseudo-
théologique, pseudo-philosophique, pseudo-scienti-
fique, cette justification que l'on appelle, de
manière pompeuse et hypocrite, son « fondement ».

Le crime n'est pas de partir de postulats, car tout
le monde part de postulats, qu'il en ait conscience
ou non, qu'il l'avoue ou non. La lâcheté, c'est de les
dissimuler.

L'homme est un animal incertain. Chez l'animal
les instincts et le monde auxquels ils s'adaptent sont
liés. L'animal est un faisceau de réponses. L'homme
est un faisceau de questions. Son action ne s'adapte
pas au milieu; elle le transforme. Si bien que
l'homme n'est jamais en équilibre parfait avec la
nature.

Il ne l'est pas davantage avec la culture, c'est-
à-dire avec tout ce qui est son œuvre. Le milieu
humain a été fait par l'homme : il est constitué par
des actions humaines cristallisées en choses. Ces
choses obéissent à leur loi de choses; des lois non
humaines, plus rigoureuses encore que celles de la
nature : un moteur est plus prévisible qu'un arbre,

une constitution politique plus transparente que le comportement d'un sanglier. Pourtant leur développement échappe entièrement à nos prises ; il n'y a pas plus implacable nécessité que celle d'une liberté refroidie en marchandise ou en institution. Nous sommes menés par une économie de croissance, par une technique de puissance. La logique interne de ce monde construit et gouverné par la science et la technique nous conduit à penser et à agir comme si tous nos problèmes pouvaient être résolus par la science et la technique. De là le caractère indigent et infantile de ces sciences inhumaines appelées, par antiphrase, « sciences humaines », vassales de ces dieux cachés de la croissance économique et de la puissance technique, qui sont les moteurs de sociétés sans finalité humaine.

Est-ce à dire que nous prêchons une guerre de sécession à l'égard des sciences et des techniques ? En aucune façon. Sous peine de régression vers l'animalité et d'aggravation des carences pour les plus démunis, nous devons préserver et même développer encore les sciences et les techniques susceptibles de nous procurer les moyens indispensables pour atteindre nos fins.

Est en cause seulement le postulat implicite selon lequel *tout ce qui peut être fait doit être fait.* Fabriquer des bombes atomiques, aller dans la lune, faire vivre de façon végétative des hommes dont la dégradation biologique est irréversible, demain peut-être manipuler l'héritage génétique, rouler ou voler à la vitesse du son, rien de tout cela ne constitue en soi un bien absolu.

69

Nul ne peut se décharger de sa responsabilité : ni le chercheur scientifique, ni le technicien, ni le militaire, ni l'économiste ne peuvent se contenter de renvoyer la décision à l'instance politique. C'était l'argument des criminels de guerre au procès de Nuremberg : je n'étais que l'exécutant d'un ordre émanant d'une autorité supérieure. Manière trop facile d'éluder sa responsabilité personnelle : l'exécutant d'un ordre criminel est un criminel. Nul ne peut nous dispenser de nous interroger sur la définition du crime, et d'être, chacun à notre place et à notre niveau, un objecteur de conscience. La conscience, c'est ce qui objecte toujours.

Chacun de nous est personnellement responsable de la création.

C'est pourquoi, au delà des morales qui reflètent et confirment un système établi, il existe des vertus que l'on appelait « théologales » parce qu'elles ont « Dieu même pour objet et sont les plus importantes pour le salut » : la foi, l'espérance et l'amour. Ce sont trois aspects d'une même attitude à l'égard de la création (qui n'est pas un acte unique et originel mais le jaillissement permanent, quotidien de l'histoire humaine). Par cette participation à l'acte créateur la vie au lieu d'*avoir* un sens, *est* le sens, création de sens et sens de la création.

La foi, c'est la décision de *vivre* avec cette certitude *que ce qui est n'est pas tout.* Sans elle il n'y aurait pas de liberté puisque nous serions totalement immergés dans une réalité finie, achevée, que nous n'aurions pas à faire fructifier, à transformer, à dépasser.

L'espérance, c'est la décision militante de vivre avec cette certitude que *nous n'avons pas exploré tous les possibles si nous ne tentons pas l'impossible,* c'est-à-dire ce qui n'est ni le prolongement ni la résultante du passé et du présent, de ce qui a existé ou existe déjà.

L'amour, c'est la décision créatrice d'*avoir foi dans l'autre comme capable de l'impossible.* L'amour est amour, en chacun, du ressuscité qui l'habite et le porte au delà de ses frontières. Comme la foi est foi dans la résurrection. L'espérance, espérance de la résurrection.

Aimer celui ou celle qu'on aime, c'est accueillir son imprévisible liberté. Aimer son ennemi, ce n'est pas lui laisser le champ pour la destruction, c'est accepter la possibilité de son changement et le libérer de ce qui empêche sa floraison : libérer l'esclave de la misère et de l'oppression, libérer le maître de sa propriété et de son pouvoir, qui sont tout aussi aliénants.

Le temps n'est le sens de la vie que s'il est autre chose que le cadre extérieur ou l'ordre de notre vie, que s'il est le temps de la création, la permanente effusion de l'imprévisible et de l'impossible que nous avons la responsabilité d'inventer, de choisir et d'amener à l'existence.

Ce pari permanent sur la création est le seul sens intérieur de la vie. L'amour qui n'existe que par ce pari, par cette foi, par cette espérance, est, par excellence, l'acte créateur de sens.

L'amour est le sens de la vie.

J'ai souvent répété qu'il n'y a pas d'enseignement

plus révolutionnaire que d'apprendre à un homme à se comporter à l'égard du monde et de sa vie, non comme à l'égard d'une réalité donnée, mais comme l'artiste aux prises avec l'œuvre qu'il a à créer. Parce que l'acte de création artistique est le modèle de l'acte de la donation du sens et de l'acceptation du sens, le modèle le plus proche de l'acte de foi, de l'espérance et de l'amour.

Le sens de la vie n'est pas extérieur à l'acte de créer la vie, de faire émerger, dans notre propre vie, et en tous, l'homme poétique.

Créer les conditions économiques, sociales, politiques, culturelles, pour que chaque enfant portant en lui le génie de Mozart puisse l'épanouir pleinement.

Cette exigence d'amour nous conduit à être d'un même pas un homme de foi et un militant politique, c'est-à-dire, à tous les niveaux, un militant de la création.

LE PLAISIR

On ne recherche le plaisir que lorsqu'on n'a pas
le courage de vouloir le bonheur ou l'amour. (Voir
ces mots.)

LE BONHEUR

Le règne de Faust a pris fin en mai 1968 :
l'homme croit de moins en moins que le bonheur
s'identifie avec la puissance et la possession. Son
projet de bonheur est de moins en moins lié à la
promesse de Descartes d'une « science qui nous
rend maîtres et possesseurs de la nature ».

Ses rêves ou ses projets de bonheur sont de plus
en plus liés à un art de vivre de nouveaux rapports
avec la nature, avec les autres hommes, avec
l'avenir et le transcendant.

De nouveaux rapports avec la nature qui ne
soient plus des rapports de conquérants mais
d'amoureux. Rousseau retrouve, à travers Ilitch, de
nouveaux disciples. Le paysage chinois de l'époque
Song, où l'homme appartient à la nature et non la
nature à l'homme, est plus près de notre sensibilité
que les grandes constructions de l'humanisme de la
Renaissance, avec ses condottieri, ses princes, ou ses
banquiers, dont les portraits n'utilisent la nature
que comme un décor lointain. Le masque africain,

rendant visible l'invisible, nous est plus proche et fraternel que la reconstruction possessive du monde dans l'art classique, et la musique concrète nous aidant à nous unir ou à nous fondre avec l'univers ambiant exerce parfois plus d'attirance que les grandes harmonies en lesquelles s'exprimait la domination sans partage de l'esprit humain. Le bonheur c'est cette participation au tout qui m'habite et fermente en moi. Le bonheur, c'est quand la nature entière est devenue mon corps.

De nouveaux rapports avec les autres hommes qui ne soient ni l'individualisme de jungle ni le carcan totalitaire, mais des rapports de communauté et d'amour. Ce besoin fraternel se traduit par la constitution de multiples communautés de base. Ce besoin d'amour s'exprime parfois de façon pervertie, lorsque Sade retrouve à son tour, à travers Freud, de piètres émules dans l'érotisme du cinéma et dans la drogue. Il témoigne, en revanche, d'une aspiration nouvelle au bonheur dans l'amour de l'autre, lorsque l'autre n'est pas la limite de ma liberté, mais au contraire sa condition, lorsqu'il est non pas une réalité extérieure, mais cette partie de moi-même qui me manque et qu'il m'appelle à être. Le bonheur c'est d'abord l'amour. La plénitude sexuelle entre un homme et une femme, lorsqu'elle est portée par tout le sens de leur vie, en est l'image la plus immédiate et la plus belle.

De nouveaux rapports avec l'avenir et le transcendant, des rapports qui ne seraient plus ceux de la simple extrapolation quantitative, technologique, des *moyens,* à la manière de la « futurologie » positiviste, mais invention du futur. La transcendance n'est pas seulement dépassement et rupture, mais découverte de possibles nouveaux, que je cherche et crée par mon propre effort, en même temps que je l'accueille comme un don (certains diront une « grâce »). Les sagesses de l'Orient et de l'Afrique, du Tao, du Zen, du Yoga, de la danse liturgique, nous ont appris que le bonheur commençait avec la dépossession de soi, avec l'abandon de nos individualismes illusoires, de nos dualismes destructeurs, et avec la communion avec le tout. Un authentique dialogue des civilisations avec les non-Occidentaux est la condition première de notre dépassement des conceptions occidentales, faustiennes, du bonheur, des conceptions dualistes qui nous mutilent : ni le corps ni l'esprit ne peuvent être joyeux séparément.

Le bonheur, c'est cette création, la participation à la création continuée d'un homme toujours plus un, d'un monde toujours plus humain.

LA VIE QUOTIDIENNE

> *La mère et les frères de Jésus vinrent le trouver ; mais ils ne purent l'aborder à cause de la foule. On lui dit : Ta mère et tes frères sont dehors, et ils désirent te voir. Mais il répondit : Ma mère et mes frères, ce sont ceux qui écoutent la parole de Dieu et la mettent en pratique.*
>
> *Luc* VIII, 20.

La vie n'est jamais quotidienne.

La vie de chaque jour, c'est d'abord le travail. Et si c'est un travail créateur, un travail de poète, il n'est rien de moins quotidien : un tissu de visitations, de dérélictions ou de jubilations. Si c'est un travail aliéné, aliénant, il suscite ma révolte et ma volonté de briser le joug, d'accéder à la création. Tension exaltante du militant.

La vie de chaque jour, c'est aussi le loisir. Et si ce loisir est autre chose que ce que j'achète par la rançon du travail, s'il n'advient pas au terme d'une chaîne mortifiante de gestes répétitifs qui m'ont vidé de mon humanité, il peut encore être le temps de la divine et gratuite création, celui du jeu. Si le loisir n'est que le temps minime laissé au robot qu'on a fait de moi (appendice de chair dans une machinerie d'acier) pour récupérer le souffle et les forces nécessaires pour reprendre, le lendemain, ma chaîne, alors ce sera un loisir aussi aliéné, aussi dépersonnalisé que le travail lui-même, pris dans le même engrenage : le soir les émissions de télévision, avec ses faux théâtres, ses faux jeux télévisés, ses films policiers, ses informations manipulatrices, bref, tout ce qui me confirme et me confine dans une vie où je n'existe pas mais où je fonctionne. C'est le quotidien mortel de l'idole phosphorescente, du petit écran. Et ce sera, un mois par an, l'évasion qui me donnera un ersatz de respiration et de vie, acheté par onze mois de servitude et d'hébétude.

Du travail et du loisir nous aurons à traiter. L'autre composante de la vie quotidienne, c'est la famille, la plus angoissante des survivances du passé.

Car il est difficile, aujourd'hui, de lui conserver l'un quelconque des fondements qui furent, pendant des siècles, les siens.

Dans les religions tribales, et aussi dans un christianisme paganisé, l'on a donné à la famille un caractère sacral, déshumanisant ainsi tous les apports humains : les parents, ni les enfants ni l'époux ou l'épouse, ne sont plus aimés pour eux-mêmes mais en vertu d'un « devoir » fondé sur un ordre céleste de la cité et sur des commandements absolus extérieurs aux simples et immédiats rapports humains de tendresse et d'amour. Aimer son père et sa mère est une obligation « sacrée » avant d'être un élan personnel. On accomplit un « devoir » conjugal et le lien contracté du mariage est indissoluble non par une fidélité profonde ou une complémentarité joyeuse et passionnée, mais parce qu'il est un « sacrement » venu du dehors et d'en haut. Les pressions de l'Église officielle sur la conscience des catholiques italiens, lors du référendum de 1974 sur le divorce, donnent la mesure de l'inhumanité de cette sacralisation archaïque des rapports humains.

En dehors du fondement religieux, le fondement biologique, celui du sang, est souvent invoqué. La famille serait-elle un lien de nature et non de culture? Ce lien, scellé par la communauté du sang, peut-il être autre chose qu'animal et racial? Ne s'agit-il pas d'un fantasme, invétéré par un long atavisme, par une tradition de clan, par tout ce dont les hommes s'efforcent, depuis des millénaires, de se libérer? Parmi mes trois enfants l'un, l'aîné, n'a avec moi aucune communauté de sang, étant né d'un premier mariage de mon épouse. Le lien qui m'unit à lui non seulement n'est pas moins fort et moins humainement chaleureux, mais peut-être plus confiant et intime qu'avec mes autres enfants qui sont « de ma chair » comme celui-ci est « de mon choix », mais il est d'une qualité peut-être plus affinée, car tenant compte de la pesanteur des préjugés et des sensibilités, le souci, pendant vingt ans, de ne pas risquer de discrimination, nous a contraints, l'un et l'autre, à une tendresse et à un respect mutuel plus créateurs, plus volontaires et plus conscients, en un mot à des rapports plus authentiquement humains que ceux de la consanguinité.

De la vérité de ces rapports témoigne une

ressemblance plus intime de nos comportements, parce que chacun a été sollicité plus impérieusement à la compréhension de l'autre, avec une attention et une pudeur que le sang aveugle et brutal, le sang imposé et non choisi, n'eût peut-être pas créées.

Le fondement économique et social de la famille est également, aujourd'hui, une survivance du passé. Dans une société agricole, patriarcale, la famille pouvait encore, tant bien que mal, se confondre avec l'unité économique de l'exploitation familiale, comme d'ailleurs, dans les sociétés marchandes aux premières étapes, l'unité économique de l'entreprise artisanale, où le fils se formait auprès du père avant de lui succéder, cette unité jouait un certain rôle. La propriété et l'héritage en étaient le ciment ; la hiérarchie, imposée par la domination du père sur le fils comme sur l'épouse, donnait à cette famille sa structure. Le droit consacrait cette inégalité fondamentale. Je ne tire, pour ma part, aucune fierté du code napoléonien du mariage, entièrement orienté par le souci du maintien de la propriété « familiale » contre tout risque d'émiettement ou de captation et consacrant la subordination de la femme.

Le « mariage de raison » (quand on n'osait pas dire, ouvertement, le mariage d'intérêt) était ainsi préconçu par les familles en fonction des activités économiques à allier, sans rapport avec les affinités réelles des jeunes gens condamnés à s'épouser.

Frédéric Engels dit crûment que, dans ce mariage « de convenance », caractéristique de la « famille » bourgeoise, la femme « bien mariée » ne se distingue de la prostituée que « parce qu'elle ne loue pas son corps à la pièce, comme une prostituée, mais le vend une fois pour toutes. comme une esclave ».

La famille aurait-elle enfin un fondement éducatif? C'était, autrefois, une conséquence de sa structure économique : le laboureur apprenait du laboureur, son père, l'artisan de l'artisan. L'Église apportait la formation morale qui se transmettait par l'autorité du père.

Aujourd'hui l'essentiel de l'éducation d'un enfant ne se fait ni dans la famille, ni à l'église, ni même à l'école, mais surtout par les mass media : la presse, le cinéma, la radio, la télévision surtout, qui apporte à chacun, à chaque instant, des modes de comportement vécus aux quatre coins du monde, des héros ou des idoles qui leur présentent un modèle inversé de la vie réelle, un modèle stéréotypé et aliénant, mais terriblement efficace. La famille, dépossédée depuis longtemps de sa fonction d'éducation technique, est de plus en plus évincée de sa fonction d'éducation morale : elle apparaît le plus souvent aux jeunes, non sans raison, comme une institution conservatrice et ils ne se déterminent plus par rapport à elle, sinon par opposition. C'est une évolution que l'on ne peut guère déplorer car le changement des conditions de vie est désormais si rapide que « l'expérience » des parents, formés dans d'autres situations, aide rarement les jeunes à s'orienter dans le monde nouveau.

Sans aucun doute, à l'intérieur même de ces institutions ont fleuri parfois de merveilleux amours. Mais il est significatif que « l'amour courtois » des romans de chevalerie et des poésies des troubadours n'est jamais un amour conjugal, et que la quasi-totalité du roman bourgeois, depuis près de deux siècles, n'évoque l'amour qu'en dehors du mariage et contre lui.

Même dans le meilleur des cas, lorsque s'affirme un amour conjugal réel, non imposé de l'extérieur, et lorsqu'il est stable, il demeure conditionné par des traditions millénaires et par tout l'ensemble des relations sociales ambiantes, avec ce qu'elles impliquent de possessivité, de rivalités et de jalousies.

L'on voit se refléter et s'infiltrer, dans les couples les plus stables et les plus unis, les préjugés ou les tendances qui, pendant des siècles, ont régi le destin des époux.

Je prendrai l'exemple de celle qui est ma fidèle compagne depuis près de trente ans, dans les bons comme dans les mauvais jours.

Veuve d'un partisan tué dans les fusillades de la libération d'Albi en 1944, elle demandait, le soir même de la mort de son mari, à prendre sa place dans le combat. Elle a accepté, sans se plaindre, la dure vie de femme de militant communiste, avec ses difficultés d'argent telles que pour élever ses enfants et faire face à nos charges envers nos parents — avec mon salaire jamais supérieur, quelle que soit ma fonction dans la hiérarchie du Parti, à celui d'un ouvrier qualifié — c'est par son travail que la famille pouvait vivre. Elle a partagé mon activité (et même mes condamnations devant les tribunaux). Lors de notre installation à Paris, et pendant quatre

84

ans, elle accepta des suppléances, de mois en mois en Seine-et-Marne, alors que j'étais député, ancien président de la commission de l'Éducation nationale mais que je ne voulais pas intervenir pour un membre de ma famille. Avec l'aide de sa mère, sacrifiée elle aussi à ce mode de vie, elle a accompli au foyer d'où j'étais si souvent absent toutes les tâches rebutantes dont elle me libérait. J'en avais les honneurs. Elle en accomplissait les obscures corvées. Elle était mon « soldat inconnu ». Exemplaire dans son métier d'éducatrice des tout petits, elle ne l'était pas moins dans son rôle de mère. Sans être chrétienne, elle avait du devoir familial une conception sacrale. Sur le plan économique elle a assumé les tâches les plus ingrates, et rien de ce que j'ai pu faire n'eût été possible sans elle. Toutes ces vertus, héritage de la tradition la meilleure de la famille et du foyer, portent pourtant l'empreinte, les stigmates de la famille traditionnelle : un sens de la possessivité à l'égard des enfants comme de l'époux qui implique un contrôle aussi rigoureux de la vie de chacun que de la modeste comptabilité familiale ou de la méticuleuse propreté de la maison. Un sens de l'obligation, du devoir et de la limpidité qui a pour revers une jalousie maladive à l'égard de tout ce qui, chez chaque membre de la famille, peut échapper à son contrôle, de telle sorte que merveilleusement choyé et sécurisé par ce labeur de fourmi héroïque, chacun se sent en même temps privé de cet espace de liberté et de mystère sans lequel n'est pas possible un plein épanouissement personnel.

Ce n'est point là affaire individuelle : le problème

est celui de la structuration ancienne qu'impose, même aux familles les plus réussies, la pesée des traditions ancestrales.

Notre vie quotidienne porte encore l'empreinte des siècles, et les révoltes provocantes de la jeunesse, même dans leurs excès, ont un rôle fécondant de remise en cause et de rénovation. Toute la vie quotidienne, celle du travail, des loisirs, de l'école, de l'église, de l'armée, de la famille, est encore corsetée et mortifiée par des structures et des morales venues du fond des âges et qui ne correspondent en rien aux besoins et aux aspirations d'aujourd'hui.

Tout doit être recréé du dedans.

Non pas à partir des normes transmises et imposées du dehors par la loi ou par la manipulation, mais du besoin propre à chacun de n'obéir qu'à des lois qu'il peut chaque jour se donner, refuser ou ratifier. Alors seulement la vie quotidienne ne sera plus le lieu de la routine mais de la création.

LIBERTÉ? LIBÉRATION?

La trame de ce monde est faite de nécessité et de hasard. La raison humaine se place entre les deux et sait les gouverner.

GOETHE, *Wilhelm Meister.*

Parler de la vie ce n'est pas seulement dire ce qu'on a tenté d'en faire, mais aussi ce qu'elle a fait de nous.

Voici donc la trame, l'histoire de tous, dans laquelle mon aventure personnelle s'est inscrite, telle que je la retraçais, en 1968, dans *Peut-on être communiste aujourd'hui?* L'éclairage de ma vie n'a pas changé. J'écris toujours à la même lumière, depuis l'âge de vingt ans, et c'est ma fierté et ma joie : être resté fidèle, après soixante ans, aux rêves de mes vingt ans.

Les hommes de ma génération sont nés dans un climat de mobilisation générale.

Au sens strict du mot.

A l'aube du 2 août 1914 (j'avais alors treize mois), nos pères, avant de « partir », sont venus nous embrasser dans nos berceaux.

Vingt-cinq ans après nous faisions le même geste.

Ce qu'il est convenu d'appeler notre jeunesse est cerné par ces deux matins rouges.

Jeunesse grandie dans l'orage, nous avons tout connu, sauf la paix. Mon plus lointain souvenir est celui de mes cinq ans, lorsque mon père est revenu au front avec des béquilles parce qu'on avait brisé ses os, avec de la haine, parce qu'on lui avait menti, et, je l'appris plus tard, avec *Le Feu* de Barbusse dans le cœur, qui n'était pas seulement colère, mais espérance et, en tout cas, refus de renoncer.

Ce retour n'était même pas une joie, parce que mon père était nerveux et farouche après trop de douleurs auxquelles il ne pouvait donner un sens, et parce que ma mère menait sa lutte quotidienne pour nous empêcher d'avoir faim. Cette misère rongeait notre table, et celle de milliers d'autres, dans nos foyers ouvriers. Les journaux l'appelaient l'inflation, un nom de maladie ou de cauchemar, que nous ne comprenions pas et qui nous faisait peur.

Derrière les murs de la maison nous entendions les échos d'autres batailles : d'un côté il y avait des cris et de la détresse, de l'autre des uniformes et des coups de feu. Dans les livres d'histoire cela s'appelle les grèves de 1920, et les révolutions avortées de l'Europe, en Allemagne et en Hongrie surtout.

J'avais dix ans quand, après la « Grande Guerre », commença la petite, celle du Maroc.

J'avais quinze ans quand, à l'une et l'autre, succédait la grande crise : on égorgeait en Hollande 200 000 vaches laitières quand les enfants de 20 millions de chômeurs, dans le monde, manquaient de lait. Les Hongrois crevaient de misère sur leurs tas de blé quand les dockers se battaient, sur les quais de Gênes, pour un morceau de pain.

Dans cette paix à couleur d'Apocalypse se sont levés d'étranges messies : l'un habillait ses chiens de chemises noires, comme les corbeaux; l'autre de chemises brunes, comme les vautours. Ils lâchaient d'abord leurs meutes sur les plus faibles : l'Éthiopie, l'Autriche, la Tchécoslovaquie, l'Espagne, la crucifixion de tous les peuples.

1939. Après les abandons de Munich, puis la non-intervention en Espagne, la France est exposée sur ses trois frontières à l'invasion hitlérienne et fasciste. La droite française, dans la tradition versaillaise, mise sur l'inertie, certains même sur la défaite, par haine et par peur du peuple qui a, trois ans plus tôt, fait le Front populaire. Le Front populaire, n'ayant aucune structure à la base, s'est effondré à chaque trahison de l'un de ses chefs : Daladier abandonnant la Tchécoslovaquie à Hitler, à Munich; Léon Blum, par la non-intervention de la France en Espagne, qui a permis l'intervention ouverte d'Hitler et de Mussolini aux côtés de Franco, a abandonné la République espagnole au fascisme. Le Parti communiste, isolé et bientôt mis hors la loi, ne peut pas encore, en 1939, galvaniser les masses dans la lutte antihitlérienne. Militairement l'incapacité, la trahison même, rongent l'état-major.

Je terminais mon service militaire (prolongé d'un an après Munich) lorsque la guerre éclata. Je me souviens du jour où, à Toulouse, au groupe de subdivision de la rue Duranti, je fus couvert de crachats et abreuvé d'injures et de coups pour avoir refusé de désavouer le pacte germano-soviétique. Pour être franc les faits, alors, ne m'étaient pas très clairs, mais je tenais bon parce que la presse faisait alors sur ce pacte un tapage assourdissant comme alibi aux trahisons de la grande bourgeoisie française.

La mobilisation se fit dans un climat de découragement et de résignation qui préfigurait la défaite.

J'avais l'impression de livrer un « baroud d'honneur », et je le livrai du mieux que je pus, car c'était contre l'hitlérisme. A la fin août, avant ma démobilisation je recevais la Croix de guerre; le 14 septembre 40 ayant, dans le Tarn, commencé à réorganiser le Parti, j'étais arrêté comme « individu dangereux pour la défense nationale et la sécurité publique ».

Je ferai dès lors trente-trois mois de prison et de camp de concentration.

Je ne sais plus quel intellectuel a écrit : « Naître pauvre, c'est gagner trente ans. » D'après mon expérience personnelle il est vrai qu'être né dans une famille ouvrière et vivant de la vie de la classe ouvrière, tout en ayant le privilège d'accéder à l'héritage de la culture, m'a fait gagner une bonne dizaine d'années dans la prise de conscience d'une contradiction fondamentale qui me fit adhérer à vingt ans, en 1933, au Parti communiste.

L'existence de deux mondes qui se contredisent : celui de la vie quotidienne et celui de la culture, écrit Hegel au début de son *Esthétique,* donne naissance au besoin de la philosophie. Cette expérience vécue d'une contradiction qui a valeur universelle, m'a personnellement conduit au marxisme par le besoin de donner un sens à ma vie, à cette vie qui, sans cela, eût été irrémédiablement double et déchirée, mutilée de la moitié d'elle-même.

Je me sentais sujet de deux royaumes aux lois strictes et opposées.

Dans la réalité quotidienne où j'étais né et où je n'avais pas encore connu de vies militantes, je voyais, par milliers, des vies broyées et des vies perdues, des vies écrasées par le travail et le besoin. Si incroyable que cela puisse paraître à ceux qui n'ont pas vécu cette expérience, le sens de la vie s'imposait ici du dehors, avec cette fatalité que décrit Marx dans *Le Capital* : « La peur de perdre son pain et celui de ses enfants enchaîne plus fortement l'ouvrier au char du capital que le marteau d'Héphaïstos ne rivait Prométhée aux rochers du Caucase. » Ce royaume m'apparaissait comme celui de la nécessité. Nécessité si implacable que mes parents ne cherchaient pas l'issue dans la révolte. Le sens de leur vie ils ne le trouvaient pas en eux, mais en leur fils, en moi, avec l'héroïsme quotidien et obstiné de gens qui consacrent vingt-cinq années, toutes celles de leur jeunesse et de leur âge mûr, toutes leurs privations et tout leur labeur, à une tâche unique : élever leur enfant de telle manière qu'il n'ait pas la même vie que la leur. Le sens de leur vie était dans cette négation et dans cet amour.

Des années plus tard, lorsque j'étais président de

la commission de l'Éducation nationale, c'est ce que je rappelai avec colère, à la tribune de la Chambre des députés, lors d'une discussion sur la démocratisation de l'enseignement, à un député de la droite m'interrompant pour dire : « Vous êtes vous-même la preuve que, dans notre régime que vous combattez, un fils d'ouvrier peut accéder à la plus haute culture! » Je me souvenais des mains déformées de ma grand-mère faisant, à la journée, des ménages et des lessives, et des jambes bleuies de ma mère, colportant de maison en maison du café pour que je puisse continuer mes études. N'est-ce pas au contraire la preuve de la monstruosité d'un système que le gâchage de plusieurs vies, dans une famille ouvrière, soit nécessaire pour permettre à un seul enfant d'accéder à ce privilège?

C'était là l'autre pôle de mon expérience. Juché sur ces sacrifices et ces mutilations, oui, c'était bien un privilège dont je jouissais : émerger dans un autre monde qui avait toutes les apparences de la liberté. L'on y avait le loisir de donner soi-même un sens à sa vie. Ce sens ne lui était pas donné du dehors : il semblait naître de notre choix. Cette trop éblouissante lumière, au sortir d'un monde où elle filtre si peu, me donna très tôt l'impression d'un arbitraire vertigineux, d'une liberté sans contenu.

La contradiction de ces deux mondes, celui de la vie quotidienne des miens, et celui de la culture, me donnait le sentiment de l'irréel, du fantastique, et les vieilles antithèses et les vieux concepts de la nécessité et de la liberté, de la matière et de l'esprit, me paraissaient bien mornes, bien abstraits et bien gris pour traduire mon angoisse et mon vertige.

J'avais besoin d'une réponse plus vivante pour m'arracher à ce dilemme vécu.

Je cherchais une parole de vie qui rendît compte à la fois de la loi de mes deux mondes, c'est-à-dire, dans le langage de mes vingt ans, qui montrât comment le sens de la vie pouvait être à la fois subi comme une nécessité contraignante et assumé dans la responsabilité d'un choix libre et solitaire. Cette parole je la trouvai d'abord dans la pensée chrétienne. J'avais eu la chance, à Aix, comme étudiant, d'écouter les dernières conférences de Maurice Blondel, et nous nous passions en cachette sa thèse condamnée, *L'Action,* dont je conserve encore, comme un tison, un exemplaire original dactylographié. Chacun de ses thèmes majeurs m'interpellait directement : l'homme est trop grand pour se suffire à lui-même; il ne peut se réaliser qu'en se dépassant; agir c'est ajouter au monde quelque chose de soi; il y a toujours contradiction entre l'infinité du vouloir et la finitude, l'inachèvement des objectifs atteints; « les idées qui nous aimantent en haut ne sont pas toutes de nous; elles mettent en nous une force qui est celle d'une présence réellement transcendante »; « l'action a sa sève propre. Elle est toujours au-delà ». Ce livre m'emportait dans son mouvement. Il n'a cessé de le faire. Et je le tiens encore pour l'un des plus grands ouvrages que j'ai lus : l'un de ceux qui peuvent changer une vie.

Ce fut ensuite la théologie de Karl Barth, et la méditation, à Strasbourg en 1935-1936, où je préparais mon agrégation de philosophie, de l'œuvre entière de Kierkegaard. Une transcendance aussi exigeante me parut sauver toutes mes contradictions intimes. Elle n'arrêtait pas la recherche par quelque synthèse abstraite et maintenait toutes les tensions intérieures. Elle interdisait le contentement de soi et la suffisance : « Tout ce que je dis de Dieu, c'est un homme qui le dit », écrivait Karl Barth. Je dois au *Commentaire de l'épître aux Romains,* à *Parole de Dieu, parole humaine* de Barth, d'avoir compris, pour la première fois, ce qu'est une réflexion qui porte en elle son propre dépassement.

Ma contradiction était transposée. Elle n'était pas surmontée. Au contraire : elle devint pour moi plus insupportable encore lorsque j'essayai de témoigner, dans ma famille et dans mon parti, de ce que je venais d'entrevoir. Je dus me rendre à cette évidence brutale : la vision chrétienne du monde m'excluait des miens, de la classe ouvrière. J'en ai pris conscience il y a plus d'un tiers de siècle. Depuis lors d'autres ont fait la même expérience. D'une manière exemplaire, les prêtres-ouvriers. Mon erreur avait été la leur : s'il était vrai que la classe ouvrière est seulement la classe qui souffre, peut-être le christianisme correspondrait-il à son attente, car il a su exprimer et transfigurer la souffrance en lui donnant une signification qui la magnifie au delà de toute nature, de façon « surnaturelle ».

Mais la classe ouvrière n'est pas seulement ceux qui souffrent. Elle n'est pas seulement laminée par les lois de fer du capital : elle en porte en elle, par

ses combats, la négation vivante. Elle porte en elle
ses propres valeurs de pensée et d'action, et les plus
hautes valeurs naissent de son combat lui-même. Si
je n'ai connu, enfant, que les misères de la classe
ouvrière, et si ces misères ne m'avaient posé que des
problèmes, j'ai eu ensuite l'expérience des luttes
ouvrières; ce sont elles qui m'ont orienté vers les
réponses et les solutions.

C'est ce qui me conduisit, en 1933, à adhérer au
Parti communiste. Cette adhésion portait tout le
poids de ma vie, son sens total. J'étais encore, à
Marseille, un militant chrétien, et j'entendais le
rester lorsque je me suis présenté au siège du Parti
communiste. Celui qui m'y reçut, un dirigeant des
Jeunesses communistes, Guidicelli (qui devait tomber sous les balles des miliciens, à Lyon, en 1944)
me montra pour la première fois le texte de Lénine :
un pope même peut entrer dans le Parti bolchevique
s'il y accomplit honnêtement ses tâches de militant.

Tous, alors, n'avaient pas la même ouverture, et,
lorsque je fus affecté à une cellule, à Saint-Barnabé,
un vieux communiste, Tarnat, m'expliqua longuement que l'étudiant que j'étais, comme tout intellectuel d'ailleurs, était nécessairement un traître, et
qu'il saurait bien me dégoûter au plus vite de cette
« aventure » que je cherchais dans le Parti! Il me fit
affecter aux tâches les plus ingrates : les affichages
de nuit (sans timbre! ce qui exigeait bien des
cavalcades pour échapper à la police quand on
terminait, vers 2 heures du matin, au centre de
Marseille!), puis le service d'ordre (qui consistait
surtout en des bagarres avec les Croix-de-Feu du

95

colonel de La Rocque). Six mois après, le père Tarnat, voulant vérifier le résultat de ce régime, me demandait, goguenard :

— Tu restes?

— Je reste, et je suis heureux de rester.

Le vieux Tarnat, ce militant exemplaire, me prit dès lors affectueusement sous sa protection, et j'appris de sa veuve, à mon retour des camps, qu'à sa mort il avait demandé que l'on mette dans son cercueil ma dernière lettre, où je lui expliquais d'une manière romantique — qui n'était pas dans son caractère — qu'ayant perdu la foi chrétienne, je ne renonçais pourtant pas à penser que le communisme doit intégrer ce qu'il y a de meilleur dans les valeurs chrétiennes.

Ce souci de « tenir les deux bouts de la chaîne » — qui ne m'a pas quitté tout au long de ma vie - me fit, en 1937, ébaucher un roman : *Le premier jour de ma vie,* dont j'envoyai le manuscrit à Romain Rolland. La lettre de sept pages par laquelle il me répondit de sa fine et nerveuse écriture est restée, comme *L'Action* de Blondel, l'un des « tisons » qui n'ont jamais perdu leur chaleur :

« J'ai lu votre lettre avec émotion, avec affection, écrivait-il. Je vous remercie de la confiance que vous me témoignez depuis tant d'années et que vous m'exprimez seulement aujourd'hui. C'est par de telles adhésions de l'âme, secrètes, muettes, que je me suis senti soutenu, aux heures les plus solitaires de ma vie. Je suis heureux que vous repreniez la mission de Jean-Christophe, qui est de relier entre elles les grandes forces de vie. Et cette mission n'est nulle part plus souhaitable qu'entre les forces religieuses de foi et d'amour agissant, et les forces de foi et d'action sociale... l'harmonie qui est la plus belle quand elle s'opère entre les dissonances (vous connaissez la parole d'Héraclite que j'aime à citer) ne peut être le fruit que d'une longue suite d'épreuves et d'efforts, sanctifiés par un loyal amour... »

Je venais alors d'être nommé professeur de philosophie à Albi, où je recueillais avec avidité les souvenirs de Jaurès, demeurés vivants chez de vieux socialistes qui l'avaient connu et accompagné dans ses combats. Je m'enracinais avec joie dans ce Tarn où se forgeaient mes expériences de militant communiste, parcourant à vélo le département, ville par ville, village par village, avec une prédilection pour Carmaux, où les mineurs m'avaient si affectueusement accueilli.

Dans le Tarn j'ai rencontré pour la première fois Maurice Thorez, à Noailles, chez le père Dupont, un patriarche du socialisme français, qui avait seize ans au temps de la Commune de Paris. Maurice Thorez l'aimait comme s'il eût été son père. Lorsque le papa Dupont lui parla de cet étrange intellectuel venu du christianisme qui militait au Bureau fédéral du Tarn, Maurice m'accueillit à Noailles avec une compréhension qui ne s'est jamais démentie jusqu'à sa mort. Il me parla longuement, ce soir-là, de *La Guerre des paysans* d'Engels, et du prophétisme de Thomas Münzer au temps de la Réforme. C'était l'époque où, après

97

avoir, le premier dans le mouvement communiste international, pris l'initiative de « la main tendue » aux catholiques, il avait évoqué — dans un discours à la Mutualité qui montre bien combien il s'agissait d'autre chose que d'une manœuvre tactique — l'apport chrétien à notre culture. Pendant près de trente ans nous avons avec lui parlé de ces problèmes. Je me souviens d'un jour, en 1949, où il me fit appeler dans son bureau, au 44, en me montrant, avec un sourire indulgent, un paquet de lettres : « Tes articles, me dit-il, me valent une grosse correspondance! Tu as écrit que « le marxisme s'appauvrirait si saint Augustin, sainte Thérèse d'Avila ou Pascal lui devenaient étrangers », et voilà trente-sept lettres de protestations venant de bons camarades. Je pense que sur le fond tu as raison. Il fallait le dire puisque c'est vrai. Mais il faut aussi tenir compte de vieilles expériences de nos militants en butte à la politique de l'Église, de vieilles traditions anticléricales chez nous, un peu sectaires, c'est vrai, mais nourries, et bien souvent justifiées, par l'attitude de l'Église. Tu as le souci juste de faire comprendre nos idées à nos adversaires. C'est bien. Mais veille aussi à avoir la même patience et à faire les mêmes efforts pour être compris de nos camarades et pour les comprendre. » Reproche affectueux qu'il me fit souvent : « Sur le fond tu as raison; cet effort d'ouverture est juste du point de vue théorique, et il est utile au parti. Mais fais attention à tes formulations : quelquefois tu exagères. » Et il ajoutait en riant : « Tu n'es pas marseillais pour rien! »

Des années plus tard, j'allai le voir à Biot, à côté
du musée Fernand Léger, entre deux trains, pour
un conseil : le secrétaire du Parti soviétique, responsable des intellectuels, Ilytchev, venait, à Moscou,
de prononcer un discours — dont l'essentiel était,
hélas! reproduit dans *L'Humanité* sans le moindre
commentaire critique — et dont la thèse centrale
était qu'on ne pouvait bâtir le communisme sans en
finir avec les croyances religieuses. J'étais effaré
devant des thèses aussi contraires aux principes
fondamentaux du marxisme. Je devais avoir le
lendemain, à Lyon, avec un dominicain, le père
Jolif, un débat public, et j'étais bien décidé à ne
pas laisser confondre le marxisme avec ça. « Il faut,
en effet, répondre, me dit Maurice. Si les Soviétiques disent des bêtises, nous n'avons pas à porter
la croix pour eux. Rappelle donc nos principes,
mais fais bien attention à la manière de présenter
les choses : calmement, pas « à l'italienne »! Tu sais
combien de gens sont à l'affût et nous guettent. »
Le lendemain ce fut le scandale : pour la première
fois un dirigeant d'un Parti communiste osait
attaquer une position aberrante du Parti communiste de l'Union soviétique.

Nous avons reparlé de ces problèmes, pour la
dernière fois, quelques jours avant la mort de
Maurice. Je l'avais entretenu de ce qui apparaissait
de nouveau dans la conscience de millions de
chrétiens; et, pour lui donner un exemple extrême
des mutations en cours, je lui conseillai de lire le
livre de l'évêque anglican Robinson, *Honest to God,*
qui venait d'être traduit en français par des inté-

gristes sous le titre provocateur *Dieu sans Dieu*. Maurice Thorez le lut, et, à ma grande joie, je constatais son enthousiasme lorsqu'il demandait à plusieurs camarades : « As-tu lu ce livre? Il faut le lire pour comprendre ce qui est en train de se passer! Bien sûr c'est un cas limite, mais nous ne mesurons pas l'importance des changements. »

Très attentif aux problèmes théoriques et soucieux de ne pas laisser le marxisme se diluer en éclectisme ou se fermer en dogmatisme, ses lettres me sont, aujourd'hui encore, une aide précieuse.

J'en feuillette la liasse : les plus émouvantes, pour moi, sont celles de la dernière période, depuis 1955, écrites de la main gauche à cause de sa paralysie. Une lettre sur Flaubert, où il marque les limites du réalisme dans *L'Éducation sentimentale*. Un mot pour saluer le numéro des *Cahiers du communisme* (la revue théorique du Parti, que je dirigeais alors) et l'éditorial que j'y avais écrit sur « Aliénation et paupérisation ». Une lettre de janvier 1958 sur mon « Humanisme marxiste » : « Je suis simplement enthousiasmé. » Une note sur l'existentialisme. Une autre où il me signale que j'ai commis une erreur de date à propos de l'élaboration théologique de la notion de « péché originel ». Par la même occasion il me rappelle un reproche qu'il m'avait adressé en 1945 lorsque j'avais insisté trop unilatéralement sur le socialisme comme « exigence morale », sans souligner assez les conditions objectives d'apparition de cette exigence. Un petit billet, passé pendant une séance du Comité central, où il s'étonne que mon discours sur l'encyclique *Pacem in terris* n'ait pas été aussitôt publié, au moins en extraits, dans l'hebdomadaire du Parti *France nouvelle*. Autre billet du même genre : « J'ai envie de mettre en cause « l'exigence cartésienne », qui est le contraire de la dialectique. Qu'en penses-tu? Dis-moi comment tu formulerais? » Une grande lettre de janvier 1962 sur le manuscrit de mon livre sur Hegel (*Dieu est mort*) que je lui avais soumis avant sa publication, et où il me dit sa joie pour « le service que tu as rendu au Parti et au mouvement tout entier », Hegel étant indispensable pour ceux « qui veulent assimiler parfaitement le marxisme ».

Quelques mois après, en juin 1962, il tint à présider lui-même la conférence que je fis pour commencer la critique des erreurs philosophiques de Staline.

Maurice Thorez, pendant un quart de siècle, a donné un visage à mon espérance de communiste. La rencontre avec lui, en 1937, fut une des chances de ma vie. Même si nous devions connaître, aussitôt après, une séparation de huit années : mon service militaire, la guerre, les prisons, les camps...

Les prisons, les camps, l'Algérie, j'ai raconté ces choses, à la Libération, dans un roman, *Antée*. Ce qui émerge, pour moi, de ces trente-trois mois de prison et de camp, ce n'est pas d'en être sorti avec cinquante et un kilos (pour une taille d'un mètre quatre-vingt-un!), c'est d'abord d'avoir fait là ma « deuxième université », celle qui m'a appris qu'une idée n'est pas une idée si elle n'est pas nouée à une pratique, si elle n'est pas une force de vie. Je relis la conclusion de mon livre, dans le langage qui était alors le mien, en 1943 : « J'embrasse, dans sa plénitude, le mystère chrétien de l'Incarnation. C'est le secret de la vie intellectuelle comme de la vie tout entière, et je l'ai appris de mes camarades ouvriers pour qui ce n'était pas une nouveauté de vivre en communiste vingt-quatre heures par jour. Il y a des hommes donneurs de vie et des vérités donneuses de vie : on ne peut pas plus s'en séparer qu'un arbre de ses racines et de sa terre. » Cela reste vrai, pour moi, en 1975 comme en 1945.

Lorsque je suis retourné, vingt ans plus tard, dans l'Algérie indépendante, j'ai voulu visiter notre camp, en Oranie. Le nouveau préfet musulman du Telagh m'accompagnait. Je ne reconnaissais plus les montagnes : les bois avaient été incendiés par l'armée « française » pour enlever leur couverture aux maquis, et nos quatre baraques étaient devenues, pendant la guerre d'Algérie, vingt-deux baraques, pour les patriotes algériens cette fois. A Alger, je donnais une série de conférences sur le thème « La Contribution historique de la civilisation arabe » qui m'avait fait expulser de Tunisie, en 1944, pour « propagande antifrançaise », car rappeler à un peuple colonisé sa culture et sa grandeur était un crime contre l'occupant. (Je devais ensuite, à la demande du président Nasser, et après une longue discussion avec lui, développer, au Caire, une série de conférences, en 1969, sur le thème « Le Socialisme et l'Islam ».)

Dans l'Algérie indépendante j'eus la joie d'être accueilli non seulement par les étudiants musulmans, mais par le président Ben Bella, puis par le

cardinal Duval, archevêque d'Alger, qui me don-
nèrent, l'un et l'autre, le sentiment de ce que
pourraient être des rapports nouveaux entre la
France et l'Algérie.

Ben Bella (comme plus tard Nasser) me remercia
de ma contribution à sa recherche des voies propres
à un pays islamique pour aller au socialisme, me
félicitant d'avoir montré le rôle que pouvaient jouer
le socialisme utopique des Carmathes, le rationalisme d'Averroès, la sociologie d'Ibn Khaldoun,
pour aller vers le socialisme, comme en Europe ont
joué ce rôle Ricardo, Hegel, ou Saint-Simon. Il me
dit son souci, dans un pays où 90 pour 100 de la
population est attachée à l'Islam, d'enraciner le
socialisme dans cette foi populaire profonde.

Le lendemain, sur la suggestion d'un dominicain
qui avait été mon élève et qui était demeuré mon
ami, je rencontrai, à l'archevêché d'Alger, le
cardinal Duval. C'était l'époque où les colonialistes
français l'insultaient parce qu'il avait demandé et
obtenu la nationalité algérienne. Comme je lui
demandais naïvement si son projet était de conver-
tir les Algériens au christianisme, le cardinal me
raconta l'histoire d'un vieux prêtre, vivant en
Algérie depuis trente-cinq ans, et demeuré seul
chrétien dans un village du bled. Il s'offrit pour
aider à la campagne d'alphabétisation. « Quel est le
but de votre apostolat? » lui demandait-on. Et il
répondait : « Peut-être parviendrai-je à aider
quelques musulmans à devenir de meilleurs musulmans. » « Un prêtre qui pense ainsi, me dit le
cardinal Duval, est probablement l'un de mes

meilleurs prêtres. » J'ai reçu ce jour-là une merveilleuse leçon de dialogue.

En 1944, à Alger, après ma libération des camps, je dirigeai successivement la revue puis l'hebdomadaire du Parti *Liberté* devenu le plus grand journal d'Algérie. Mes sympathies pour le peuple et la culture arabes m'avaient rendu suffisamment suspect pour que l'on me refuse les papiers me permettant de rentrer en France. Je le fis donc clandestinement, grâce à un commandant d'escadrille qui me ramena à Istres sur l'un de ses bombardiers.

Entre la « drôle de guerre » de 1939 et la drôle de paix de 1945 qui précéda la « guerre froide » se leva le jour pour beaucoup d'hommes de ma génération. Cette vérité simple change une vie quand une fois on l'a entrevue : de toutes les misères subies, il n'en est aucune qui soit fatale. On peut tout vaincre : les crises, la servitude, la guerre même, à condition de les combattre. La Résistance en apporta sinon la preuve, du moins l'espérance.

Ce n'était pourtant pas un secret : depuis des années des hommes avaient écrit cela avec leur sang. La révolution d'Octobre, saluée par Paul Langevin, par Anatole France, par Romain Rolland, comme « le commencement de l'espoir », en avait donné l'exemple fascinant.

Mais les maîtres du chaos avaient fait en sorte que l'immense majorité des Français n'entendît pas ceux qui criaient qu'un ordre humain est possible : on les avait conspués au temps de Munich, maudits au temps des Brigades internationales d'Espagne, arrêtés par centaines en 1939 et en 1940, fusillés par milliers les années suivantes. Ils germaient par dizaines de milliers après chaque fauchaison. Il devenait difficile de les faire taire. Il devenait difficile de détruire cette vérité qui se levait dans la tête et le cœur de millions d'hommes et de femmes : il existe le chaos, mais il existe les forces capables de le surmonter.

Dès la Libération je revins à Albi, sans mon compagnon le plus proche, Élie Augustin, qui dirigeait avant-guerre le Parti dans le Tarn. Il avait été arrêté en même temps que moi, en septembre 1940, et je lui avais fermé les yeux, au camp de Bossuet, en Algérie, où il était mort d'épuisement.

Je fus élu député du Tarn, sans interruption, depuis la Libération jusqu'à la loi des « apparentements », en 1951, chef-d'œuvre d'arithmétique électorale qui permettait de déclarer battu le candidat ayant le plus de voix!

Sous une forme nouvelle recommença pour moi la double expérience de la vie militante et du travail intellectuel.

Lorsque Maurice Thorez, en juillet 1945, à Waziers, devant des mineurs épuisés par les privations de la guerre, avait lancé un appel à la production, il avait agi en homme d'État dédaigneux de toute démagogie. L'extraction tripla en deux ans, ce qui permit de rendre une vie normale au pays.

A Albi nous avions décidé de remettre en marche la vieille « Verrerie ouvrière » créée par Jaurès qui en

avait allumé le premier four en 1895. Des volontaires travaillaient gratuitement chaque dimanche.
Comme député du Tarn je suis allé demander aux
mineurs de travailler, gratuitement aussi, pendant
huit dimanches, et le jour où Maurice Thorez vint
allumer les mêmes fours avec le même vieux verrier,
Bonnardel, qui les avait allumés avec Jaurès, ils
étaient là, sur leurs wagons de houille, ceux des
puits de la Tronquie, de Sainte-Marie, de la
Grillatie, avec leur charbon qu'ils avaient donné
comme on donne son sang. Quand la flamme jaillit
du four, auréolant les cheveux blancs de Bonnardel,
et éclairant les visages de ceux du premier rang : les
vieux verriers que l'on reconnaissait à leurs pau-
pières sanguinolentes et privées de cils, à leurs
prunelles ternies par la cataracte, à leurs joues
décollées par le soufflage d'autrefois, mais surtout à
leur orgueil et à leurs larmes de joie, cette renaissance de la flamme parut à tous le symbole de la
renaissance et de l'espérance d'un peuple.

Nous avions l'illusion d'aller vers le socialisme à
brève échéance, et le sentiment qu'une vie ne
suffisait pas pour loger tant de ferveur et de projets.
J'avais la chance de vivre doublement : dans le Tarn
avec les mineurs, les verriers; à Paris, j'avais
proposé au Parti de mettre en chantier une Encyclopédie de la renaissance française. Je fus désigné
comme secrétaire général, Paul Langevin en était le
président. Ambition immense, mais prématurée :
quelques années plus tard, invité, avec Lucien
Febvre, à un débat radiodiffusé sur les traditions
encyclopédiques de la France je tirais, avec mélan-

colie, cette conclusion : un projet encyclopédique ne peut s'épanouir pleinement qu'à une époque de fracture de l'histoire pendant l'ascension victorieuse d'un nouveau système social, comme l'Encyclopédie de Diderot. Lucien Febvre était arrivé trop tard pour faire l'Encyclopédie d'un monde à son déclin, et moi trop tôt, à une époque où l'hégémonie spirituelle des nouvelles forces sociales n'était pas encore assurée.

Illusion, échec, peut-être. Mais expérience féconde sur les rapports entre le mouvement de l'histoire et la conscience théorique de ce mouvement.

Le travail avec Paul Langevin, qui situait la science et les arts dans la perspective la plus vaste de l'homme et de son histoire, fut pour moi une merveilleuse école. Langevin m'expliqua un jour qu'il rêvait de composer un manuel de mathématiques pour les petits enfants qui serait en même temps une sorte d'histoire stylisée des mathématiques afin que, repassant par les étapes *expérimentales* de son élaboration au cours des siècles, ils n'aient pas la conception mystifiée d'une science qui ne serait pas, à chaque phase de son développement, suscitée par la pratique et le travail : « Alors, me disait-il plaisamment, l'on comprendrait mieux pourquoi, dans les mathématiques, même dans les spéculations les plus abstraites, tout est bon, comme dans le cochon! Tout peut s'investir dans une pratique parce que tout est né de cette pratique. »

Plus sombres furent mes entretiens avec Louis Jouvet à qui j'avais demandé de s'associer à notre entreprise. Il accepta seulement de diriger la section d'histoire du théâtre, car, me dit-il de sa voix caverneuse, « du théâtre on ne peut plus faire que l'histoire comme on fait l'éloge funèbre des morts ».

« Nous sommes au bord de découvertes aussi importantes que celle de l'énergie atomique pour le changement de la vie des hommes. Imagine ce que sera la synthèse de la chlorophylle, toute la vie du soleil captée pour abolir la faim. » Joliot-Curie me déployait ces horizons, au delà de ce qu'il appelait les « détournements de la science ».

Non moins exaltantes les visites à Picasso, à son atelier d'alors, rue des Grands-Augustins. Dans ses boutades il lui arrivait de jeter une lumière décisive, comme le jour où il me définit ainsi la loi de la création artistique : « Le *contre* vient avant le *pour*. Si tu veux comprendre ce que je fais, et pourquoi je change, demande-toi toujours contre quoi je peins... C'est d'ailleurs souvent contre mon tableau précédent ! »

C'était un émerveillement constant, pour l'homme de trente-deux ans que j'étais, de respirer à pleins poumons au contact des esprits les plus créateurs de notre temps qui acceptaient de rêver avec nous de cette « somme » de notre temps : aux côtés de Paul Langevin, d'Henri Wallon, de Picasso, de Joliot-Curie, de Jouvet, d'Éluard, de Le Corbusier.

Je n'aimais pas la vie parlementaire qui m'a paru toujours illusoire et inutile. J'aimais moins encore la charge de vice-président de l'Assemblée pour laquelle je fus choisi, en 1956, quand j'étais député de Paris. (Je quittai définitivement le Parlement en démissionnant, en 1960, du Sénat, après deux années de mandat, alors que j'étais élu pour neuf ans, et je repris mon poste de professeur de philosophie, puis d'esthétique, à la faculté.)

Par contre, dans le Tarn, je me sentais branché sur une vie plus vivante. Une expérience cruciale, pour moi, fut celle de la grande grève des mineurs à laquelle je participais quotidiennement, à Carmaux. Lorsque les C.R.S. furent envoyés pour occuper la centrale de la mine, que nous leur avons reprise d'assaut, au prix de nombreux blessés, *Le Figaro* titrait avec rage : « C'est un professeur de philosophie qui est à la tête des commandos communistes à Carmaux ! »

La grève avait éclaté en octobre 1948 et elle dura soixante jours. 4 000 hommes en armes avaient été envoyés pour venir à bout de 3 000 mineurs. Lorsque le ministre de l'Intérieur donna l'ordre de m'arrêter « en flagrant délit » nous tenions une réunion interdite dans la Chambre syndicale des mineurs, cernée par la police et l'armée. La solidarité et l'ingéniosité des mineurs furent telles qu'ils parvinrent, à la fin de mon discours, à me faire échapper par une fenêtre et franchir avec des échelles les murettes de plusieurs jardins de mineurs (même les « jaunes » y avaient aidé), si bien que je pus passer à travers les mailles et, caché la nuit chez des paysans, rentrer le lendemain dans Carmaux.

Je relis mes notes et mes réflexions de cette époque :

« Huit semaines de grève sont plus riches d'enseignement sur la personne humaine, sur sa dignité et sa grandeur, que des années de méditation intérieure.

Là se trouvent des engagements de la vie entière. Là des actes éclatent au bout de chaque pensée et de chaque parole. Défendre la vie et la dignité de la personne y prend un sens authentique et concret : il s'agit, pour l'ouvrier qui prend sa décision et qui la renouvelle pendant soixante jours, de mettre pour enjeu sa vie entière ; c'est tout le cours quotidien de sa vie qui sort de l'ornière des habitudes et qui prend le style héroïque qui est un style douloureux. C'est la faim, qui est peu pour lui, mais qui ronge son foyer tout entier. La grève, à la maison, c'est souvent une rancune à vaincre chez la femme, et à vaincre chaque soir avec patience et avec amour, parce qu'il a fallu, à Carmaux, se séparer des enfants pour qu'ils mangent dans les familles qui les ont accueillis. C'est tout cela qu'il faut consentir ou qu'il faut arracher de soi pour accomplir cette simple chose : que la vie ne soit plus une pente qui va, par la misère, à la dégradation. Ces hommes ont choisi de résister à la pente et, dans chaque bataille, de remonter d'un pas. Ils veulent rompre, comme disait Paul Vaillant-Couturier, avec « cette économie où des insectes aveugles travaillent désespérément et sans arrêt à construire un monde dont ils ne profitent pas et qui les tue ». Ils se battent non par rancune, mais par besoin de plénitude. Leur poussée, c'est la poussée de l'homme. Et l'humain ne triomphera que par leur victoire. Le combat entre ceux qui possèdent et ceux qui travaillent n'est pas mené par les mêmes hommes des deux côtés. Choisir la personne humaine, c'est d'abord choisir sa place et son camp dans cette bataille. »

L'alternance du travail intellectuel et du travail militant, qui a été le rythme caractéristique de ces années de formation de ma vie, m'amena, sitôt la grève finie, à commencer mon livre *L'Église, le communisme et les chrétiens*, où je poursuivais cette réflexion sur la personne humaine pour laquelle les mineurs de Carmaux m'avaient tant appris. J'allai à Rome chercher sur place ma documentation et j'y fus reçu avec beaucoup de compréhension par Jacques Maritain (alors ambassadeur de France auprès du Vatican) et par Mgr Fontenelle, premier chanoine de Saint-Pierre. Plusieurs années après, l'abbé Pierre, revenant de Rome, m'écrivait : « Mgr Fontenelle a gardé un bon souvenir de ton passage et il prie pour toi, mon cher mécréant ! »

A Rome, la plus profonde analyse de la pénétration du Vatican dans la structure et les engrenages de la société capitaliste, et notamment de l'État italien, m'a été faite par le secrétaire général du Parti communiste italien, Palmiro Togliatti. Mais, parfaitement conscient du rôle politique de l'Église, il l'était aussi du profond changement qui s'opérait dans les masses chrétiennes. Il fut mon meilleur guide dans cette compréhension de la dialectique des rapports entre la base et le sommet, dans l'Église comme dans le Parti.

Après le VIIIe Congrès du Parti communiste italien, où, avec Jacques Duclos, je représentais le

Parti communiste français, Togliatti riposta dans *L'Unita,* avec une extrême vivacité, à un article critique sur l'orientation du P.C. italien dans lequel j'étais le porte-parole du Bureau politique du P.C. français.

Mais, au delà de cette péripétie, lorsque je fus envoyé à Rome, en 1956, au lendemain de l'entrée des troupes soviétiques en Hongrie pour tenter de définir une politique commune des deux partis dans cette crise, Togliatti me reçut fraternellement et je fus frappé par la liberté de son jugement sur cette affaire, comme elle s'exprima plus tard dans son Testament de Yalta.

Je le revis une dernière fois, à Rome, quelques semaines avant sa mort à Yalta. Nous mesurions le chemin parcouru depuis notre première rencontre de 1948, dix-sept ans plus tôt, dans l'évolution de millions de chrétiens.

Analysant les positions officielles du P.C. français sur ces problèmes, Togliatti me dit : « En France, ton parti souffre des séquelles du matérialisme du xviiie siècle qui conduit à la thèse des Soviétiques : il suffit de changer de structure sociale et de faire une bonne propagande scientifique pour que la religion s'évanouisse. Ne crois-tu pas que l'histoire montre que la religion a des sources plus profondes et que, si l'on ne confond pas la foi avec les idéologies dans lesquelles elle s'est exprimée à diverses époques, elle peut n'être pas nécessairement opium mais un ferment de protestation et de combat. »

Cela correspondait à ma conviction profonde et

je le lui dis, en lui rappelant qu'à cet égard Maurice Thorez ne m'avait jamais désavoué.

Togliatti me pria, en conclusion, de communiquer à Maurice Thorez le projet d'une intervention commune aux deux partis auprès du Parti communiste de l'Union soviétique pour dire notre désaccord avec les positions soviétiques sur la religion et sur l'art. Je dois dire que Maurice Thorez reçut assez mal cette proposition. Bien qu'il partageât, sur le fond, les conceptions de Togliatti et les miennes sur ces deux problèmes, son souci fondamental, en cette période de guerre froide et d'anti-soviétisme forcené, était de maintenir l'unité du mouvement communiste international. Avec une certaine véhémence il me dit alors : « Tu diras à ton ami Togliatti que pour un travail fractionnel il ne compte pas sur moi! »

C'est une réponse dont je ne pus, hélas! être porteur, d'abord parce que Maurice Thorez mourut quelques semaines après, et que partant à mon tour pour l'Union soviétiqe sur le paquebot *Litva* sur lequel venait de mourir Maurice Thorez, et devant rencontrer Togliatti en vacances à Yalta, l'on m'apprit, à l'escale d'Odessa, qu'il venait de mourir le matin même. Ce furent d'ailleurs, en dépit de l'accueil très chaleureux qui m'était fait en Crimée, de terribles vacances, car j'étais profondément troublé par le fait qu'à quelques semaines de distance étaient morts en Union soviétique les deux chefs les plus créateurs du mouvement communiste en Europe occidentale.

Autre plongée dans les problèmes concrets :

113

5.

en 1949, avec un voyage en Amérique latine, de Mexico à Rio de Janeiro, à travers quatorze pays, de septembre à novembre 1949, je vis se poser les problèmes du socialisme d'une manière nouvelle, et terriblement aiguë. Une chance parmi tant d'autres dans ma vie : je pars avec Paul Éluard et notre première étape est Mexico, où nous représentons le Mouvement de la Paix au Congrès panaméricain de la paix.

A Mexico, Figuerroa, admirable photographe du film de Bunuel *Los Olvidados,* me fit visiter, autour de la ville, les décors naturels de ce film. Rien n'a été reconstitué : la réalité de la misère est ici plus atroce que toute fiction.

Éluard est aussi obsédé que moi par cette détresse. Nous ne passons que quelques heures à visiter ensemble les pyramides de Teotihuacan, mais les faubourgs de Mexico nous hantent. Une nuit Paul écrit un poème qu'il intitule : « La grande revendication des hommes de mon temps ». A 2 heures du matin il vient me le lire et m'en offrir le manuscrit, avec toutes ses ratures, et une dédicace de l'œuvre inachevée. Ces vers seront pour moi le leitmotiv de ce périple en Amérique latine :

Je vous parle d'un temps sans joie sans auréole
D'un passé qui n'est pas sacré, mais c'est le mien
. . . .
Hommes de l'avenir jugez de ce temps noir
Comprenez-moi demain il vous faut voir hier.

De ce congrès je conserve quelques images

114

d'hommes debout, alors si peu nombreux sur un continent où claque le fouet d'un seul maître. José Giral, l'ancien président de la République espagnole, me disant, à propos de l'anticommunisme, arme de tous les ennemis de l'homme : « Pourquoi dit-on : l'Est, l'Ouest? Pourquoi diviser l'espérance? »

Le peintre Diego Riveira, me faisant visiter le palais de style aztèque qu'il avait fait bâtir sur une coulée de lave, et où il accumulait les pièces d'un musée d'art précolombien, comme une protestation, appuyée sur la culture d'un passé lointain, contre l'insolence inculte des « gringos ».

Le bon géant Siqueiros, que l'on appelait le *coronellasso,* (le grand colonel) pour avoir commandé une unité de blindés pendant la guerre d'Espagne, et qui peignait alors, à la pyroxyline, des œuvres géantes dont chacune était un cri de colère, de révolte et d'espérance. Il riait parce que je l'avais surnommé « le camarade Paricutin », du nom d'un volcan qui venait de bourgeonner dans cette terre violente.

Pablo Neruda, alors en exil, l'un de ceux qui avaient dénoncé avec la plus grande fermeté les « collabos » chiliens de l'époque. Il m'a raconté qu'à son procès son avocat, un vieux libéral, avait pu déclarer : « Messieurs, soyons francs : Y a-t-il un homme ici qui ne considère pas Videla (le Pinochet de l'époque. R.G.) comme un traître? » Un silence écrasant pesa sur la cour. Le grand poète, vingt-cinq ans plus tard, demeura inflexiblement debout, jusqu'à la mort, face aux nouveaux tortionnaires du peuple chilien, au service des mêmes maîtres étrangers.

Ainsi germait déjà la liberté dans l'Amérique latine de nouveau colonisée. A Rio de Janeiro j'habitais chez le peintre Candido Portinari, et sur son conseil, je visitai dans la province de Minas Gerais, les mines d'or. J'étais à Sabara, la cité légendaire de l'or, d'où, au XVIe siècle, les *bandei-rantes* partaient vers le Pacifique, brûlant, pour passer, les millénaires forêts vierges, à la recherche de la Sierra des Émeraudes. J'ai visité ce royaume de l'or, j'ai visité l'Eldorado, et son entrée ressemble à celle de l'enfer : à l'entrée de la vallée, sur la terre d'hématite rouge, à droite deux vastes bâtiments blancs où sont entassés les tuberculeux; à gauche l'interminable fosse commune aux milliers de croix où pourrissent, depuis deux siècles, ceux que l'or a tués. Pour arracher chaque mois 16 kilos d'or fin à la terre, cinq ou six mineurs succombent aux poussières et aux éboulements.

Au retour, ma dernière escale fut La Havane, où, pour avoir circulé en plein jour dans les rues, je suis prêt à croire au chiffre qui m'a été donné : 100 000 prostituées dans une ville d'un million d'habitants.

J'ai souvent repensé à ce cauchemar lorsque, treize ans plus tard, je suis revenu à Cuba, devenue la première terre libre d'Amérique. Le 4 février 1962, j'assistais, aux côtés de Fidel Castro et de Che Guevara, au rassemblement de plus d'un million de Cubains sur la place de la Révolution où était lancée la « Deuxième Déclaration de La Havane ». J'écoutais comme un chant triste et grondant la grande dénonciation de ce que j'avais ressenti, treize ans plus tôt, du Guatemala au Pérou, du Brésil à la mer des Caraïbes. C'était comme l'une de ces secousses terribles que j'avais éprouvées en avion lorsque j'avais traversé la cordillère des Andes, au-dessus des 8 000 mètres du Chimborazo : « Une chaîne de bras et de mains toujours tendus — presque toujours tendus en vain depuis des siècles, toujours en vain — s'étire au-dessus des monts de la Cordillère... Mille dollars par cadavre, et quatre cadavres par minute... Maintenant... on aura à compter avec les exploités et les humiliés de l'Amérique latine, qui ont décidé de commencer à écrire pour eux-mêmes, et pour toujours, leur propre histoire. »

Je suis revenu quelques mois plus tard, invité à aider au développement de l'enseignement du marxisme dans les universités de La Havane, de Santa Clara et de Santiago de Cuba. Je me souviens surtout de l'entretien de plus de deux heures que j'eus alors avec Fidel Castro. Il n'aimait pas s'attarder sur les succès remportés : « Quand vous me dites ce qui vous a plu dans mon pays, cela me fait plaisir. Mais quand vous me dites ce qui ne va pas, cela m'aide dans ma propre critique », me disait-il. C'est pour moi la pierre de touche pour juger un chef d'État. J'ai retrouvé cette attitude, au cours d'entretiens avec eux, chez Ben Bella, chez Senghor, chez Nasser. Jamais chez Khrouchtchev ou Walter Ulbricht.

Peut-être est-ce cette attitude première de Fidel

Castro et de Che Guevarra qui a permis à Cuba d'éveiller toute l'Amérique latine. Aujourd'hui des fruits merveilleux ont mûri, d'une manière inattendue, d'abord chez les chrétiens d'Amérique latine : mes rencontres avec Dom Helder Camara, archevêque d'Olinde et de Recife, et ses lettres fraternelles ont été pour moi un indispensable levain pour dépasser mes dogmatismes et mes sectarismes anciens, notamment lorsqu'il me posa ce problème fondamental : « Le prochain pas à accomplir, pour nous chrétiens, c'est que soit proclamé publiquement que ce n'est pas le socialisme mais le capitalisme qui est « intrinsèquement pervers », et que le socialisme n'est condamnable que dans ses perversions. Et pour vous, Roger, le prochain pas à accomplir c'est de montrer que la révolution n'est pas liée d'un lien essentiel, mais seulement historique, avec le matérialisme philosophique et l'athéisme, et qu'elle est au contraire consubstantielle au christianisme. » Dom Helder m'a ouvert ce programme il y a six ans et n'a cessé de m'aider à le remplir. Cela est devenu depuis lors le centre de mon expérience existentielle et de ma réflexion théorique. Les actuelles « Théologies de la libération », du père Guttierez au Pérou, ou du pasteur Rubem Alvès au Brésil, qui constituent, à mon sens, la véritable avant-garde de la théologie mondiale, apportent une contribution éminente à la solution de ces problèmes. Ils ont opéré la grande inversion de la théologie contemporaine : au lieu de partir des textes bibliques pour en déduire une doctrine sociale, politique ou morale, ils partent de la pratique des luttes de libération des peuples qui posent des problèmes de vie et ils essayent, à la lumière de l'Évangile, d'en déchiffrer le sens profond. La théologie n'est plus alors une manière d'interpréter le monde mais une participation au mouvement qui tend à le changer.

Après ma première expérience de l'Amérique latine, où j'avais vu se poser les problèmes de la manière la plus aiguë, je rêvais de voir comment les contradictions majeures de notre temps avaient été résolues en Union soviétique. Je demandai donc à partir en U.R.S.S. comme correspondant de *L'Humanité* pour faire, du dedans, l'expérience de l'autre monde, celui du socialisme. D'octobre 1953 à août 1954, je suis allé vivre en Union soviétique. Pas en touriste : je travaillais à l'Institut de philosophie de l'Académie des sciences, où je soutins une thèse de doctorat (après celle que j'avais soutenue à la Sorbonne deux ans plus tôt). Ma femme faisait son marché. Mes enfants allaient l'un à l'école soviétique, l'autre au jardin d'enfants. J'ai sillonné en tous sens cet immense pays : du Caucase à la Baltique, et de l'Ukraine à l'Asie centrale.

Staline, que j'avais rencontré l'année précédente, lorsque j'étais délégué du P.C. français au XIXᵉ Congrès du P.C. de l'Union soviétique, était mort le 6 mars 1953. L'on m'a souvent reproché, dans une certaine presse, d'avoir évoqué avec lyrisme mes contacts avec Staline, d'avoir dit mon admiration pour celui que mon deuxième fils, âgé de trois ans, appelait « pépé Staline ». Je n'ai jamais rougi d'avoir été stalinien pendant près d'un quart de siècle, de 1933 au XXᵉ Congrès du P.C. de l'U.R.S.S., en février 1956. Car, comme tous mes camarades, je ne connaissais de Staline que ce qui, en lui, personnifiait les conquêtes du socialisme. Et je savais bien que ce que toutes les forces du passé, toutes les réactions et tous les fascismes haïssaient en Staline, ce n'étaient pas ses défauts, mais tout simplement le fait qu'il signifiait, pour eux aussi, le socialisme. Comment n'eût-il pas donné un visage à tout ce qui faisait le sens de notre bataille?

J'ai passé cette première année en U.R.S.S. à un moment privilégié : celui où l'on tentait, au lendemain de la mort de Staline, de déraciner le système policier. J'étais à Moscou depuis quelques semaines à peine lorsque la *Pravda* annonça l'exécution de Beria, qui symbolisait le système policier. Ce qui me frappa surtout, des Carpates à l'Oural, et, en Sibérie, jusqu'au Pamir, c'était l'enthousiasme au travail d'une très belle jeunesse qui réparait en chantant les ruines de la guerre encore proche. J'ai vu, la nuit, par 38 degrés au-dessous de zéro, le travail continuer partout sous les projecteurs. Les chalumeaux et les chansons sifflaient dans les échafaudages de métal de futurs barrages. J'ai vu l'ancienne « steppe de la faim » en Ouzbékistan, en train de se transformer en « vallée des roses » par le travail et la foi de milliers de volontaires. Oui, j'ai cru voir naître, dans cette joie creatrice, un homme nouveau.

Le coup fut d'autant plus rude lorsque le XXe Congrès du P.C. de l'U.R.S.S., en 1956, révéla les erreurs et les crimes de l'époque stalinienne.

J'ai déjà dit, en 1966, dans mon *Marxisme du*

XXe siècle, ce que fut cette prise de conscience tragique. Devant ces révélations, et sans oublier un instant les perspectives d'avenir qui étaient au même instant ouvertes, il m'est arrivé de relire, comme un message qui me serait personnellement adressé, la sombre page de Hegel dans sa *Phénoménologie de l'esprit* : « Cette conscience a éprouvé l'angoisse, non au sujet de telle ou telle chose, non durant tel ou tel instant, mais elle a éprouvé l'angoisse au sujet de l'intégralité de son essence, car elle a ressenti la mort, le maître absolu. Dans cette angoisse elle a été dissoute intimement, elle a tremblé dans les profondeurs de soi-même et tout ce qui était fixé a vacillé en elle. » La peur de la vraie mort, c'est la peur de la perte de nos raisons de vivre. Pourquoi ne pas avouer qu'au lendemain du XXe Congrès nous avons compris ce que pouvait être ce vertige vital. Je ne l'avais jamais éprouvé, ni dans les prisons ni dans les camps.

Ma première réaction fut celle du refus. « C'est Thermidor! ai-je pensé. Et tout cela n'est que mensonge. » Mais il fallut se rendre à l'évidence et je me demandais si, depuis 1933, depuis un quart de siècle, ma vie avait eu un sens.

C'est au delà de ce « tournant des rêves » qu'il fallut repartir à la reconquête de la foi. Non pas décidés à ne plus croire, mais décidés à ne plus croire que les yeux ouverts.

L'anneau magique qui nous enfermait dans nos orgueilleuses certitudes insulaires était rompu. Il fallait apprendre les lois du dialogue, de l'assimilation critique de ce que les non-marxistes apportaient à la conscience commune.

D'abord le moment de la subjectivité. Sartre, à mon sens, avait mal posé le problème, avec une conception subjectiviste de la subjectivité, mais il avait le mérite de l'avoir posé. Je lui écrivis pour lui proposer une recherche commune. Son accueil, au début de 1956, fut très positif : « Je suis très heureux, m'écrivait-il, de discuter avec vous sur les moyens de saisir ce que j'appelle l'homme total, c'est-à-dire l'homme envisagé à la fois dans ses conditionnements sociaux et dans la reprise qu'il en fait dans et par ses actes... Nous avancerions plus vite si nous essayions *en commun* et nous aidant les uns les autres, de mettre au jour tous les conditionnements et toutes les significations qui peuvent aider à comprendre tel ou tel personnage historique. » Nous nous mîmes d'accord pour choisir Flaubert, et nous avons échangé deux manuscrits qui auraient peut-être permis de mieux cerner à la fois les divergences et les complémentarités, de mieux définir dans quelle mesure l'existentialisme est un moment nécessaire du marxisme ou un corps étranger. Les affrontements politiques de 1956 interrompirent cette confrontation que nous ne reprîmes que plus tard, à Rome, à l'institut Gramsci, en présence de Togliatti, dans un débat sur la morale (dont j'ai formulé les thèses essentielles dans un chapitre de mon *Marxisme du XXᵉ siècle*) et, à Paris, lors du grand débat à la Mutualité que j'avais organisé sur le thème de la dialectique de la nature dans la science contemporaine.

Les exigences de la lutte commune contre la guerre d'Algérie nous avaient rapprochés. Dès 1959, Sartre participait à l'expérience que je fis alors d'écrire un livre, *Perspectives de l'homme*, en donnant la parole, à l'intérieur même du livre, à ceux dont j'examinais l'œuvre (Sartre, Gabriel Marcel, Henri Wallon y consentirent).

L'accueil du public à cette tentative fut tel que lorsque le P.C. français décida, sur ma proposition, de créer le Centre d'études et de recherches marxistes (C.E.R.M.) et m'en confia la direction (que j'assumai pendant dix ans, jusqu'à mon exclusion en 1970), la méthode se généralisa : je tenais beaucoup à ce que des non-communistes participent à nos recherches, car j'étais, et je demeure, convaincu, que le développement du marxisme n'est pas l'affaire des marxistes seuls, mais de tous les chercheurs. De grands débats publics furent organisés dès lors chaque année, auxquels participèrent des hommes venus de tous les horizons.

La controverse avec l'existentialisme nous avait conduits à commencer à élaborer une théorie non subjectiviste de la subjectivité. Le dialogue avec les chrétiens nous obligea à explorer davantage une autre dimension : celle de la transcendance.

J'ai travaillé passionnément à développer ce dialogue au delà de nos frontières et à organiser, à Salzbourg, puis à Marianzke Lazne, en Tchécoslovaquie, avec l'accord compréhensif du cardinal Kœnig, après le concile Vatican II, des rencontres, où, avec des théologiens catholiques comme le père Rahner, ou protestants comme

123

Jurgen Molttman, nous avons posé le problème de la place de la transcendance dans le marxisme. Depuis lors, peu d'ouvrages, en ce domaine, échappent à cette problématique.

Le dialogue repose sur deux postulats : nous avons quelque chose à apprendre de l'autre, fût-il un adversaire ; et la vérité (provisoire) qui naîtra de notre rencontre sera autre chose et plus que l'addition de nos certitudes : un point de vue supérieur qui les intégrera comme des moments partiels d'une synthèse plus riche.

C'est pourquoi le dialogue heurte les forces du passé qui préfèrent s'en tenir à l'opposition manichéenne du bien et du mal absolus. Lorsque, par exemple, je revins à Athènes, en 1966 (pourtant avant la dictature des colonels) pour y ouvrir la deuxième Semaine de la pensée marxiste, vingt cars de police stationnaient aux abords de la salle pour essayer d'intimider les auditeurs. Aux États-Unis, à Saint Louis, dans le Missouri, où j'étais invité par l'université des jésuites, la réaction fut plus significative encore : l'American Legion avait organisé une campagne pour faire interdire ma venue qui était, disaient leurs affiches et leurs tracts, « une insulte à Dieu, au drapeau, et à nos combattants du Vietnam ». Le résultat de ce tintamarre fut qu'il y avait ce soir-là, à ma conférence, plus de 2 000 personnes, avec quelques bousculades, des tracts, des cris, un déploiement de police qui donnait à mon intervention l'allure d'un western !

C'étaient des combats d'arrière-garde. Le mouvement est irréversible : l'affrontement avec une pensée lointaine nous permet non seulement de dégager, mais d'enrichir notre propre vérité. La grande découverte de Socrate : la dialectique, qui n'est jamais construction solitaire, mais ouverture à l'autre et dialogue, devient un phénomène de masse.

Le problème, de plus en plus, est d'élargir ce dialogue. Car la rencontre chrétiens-marxistes, si importante soit-elle, pour dépasser les perspectives unilatérales de chacun et découvrir leur complémentarité profonde, est une rencontre entre gens d'une même famille : nous sommes, de part et d'autre, des Occidentaux. Et l'Occident, à notre époque, devient de plus en plus « provincial ». A Genève, en 1967, au Conseil œcuménique des Églises, et, à Vienne, avec le cardinal Kœnig, je suggérais que le dialogue essentiel était désormais le « dialogue des civilisations » avec les cultures non occidentales. Nos problèmes sont aujourd'hui planétaires, nous ne pourrons les résoudre que dans une perspective planétaire en recherchant le sens, les valeurs et les fins de notre vie et de notre histoire, avec les peuples de l'Asie, de l'Afrique, de l'Amérique latine, et en renonçant à l'illusion mortelle qui domine et appauvrit l'histoire depuis la Renaissance (c'est-à-dire depuis la naissance conjointe du capitalisme et du colonialisme) que l'Occident serait le seul centre d'initiative historique et le seul créateur de valeurs.

Mon exclusion du Parti communiste en février 1970, si douloureux qu'en fut le choc dans ma vie personnelle, ne dévia en aucune façon mes réflexions et ma recherche. Elle me permit même —

après le trouble profond des premiers mois, et avec le souci de n'avoir pas une mentalité d' « émigré », se réjouissant des erreurs ou des fautes de la communauté dont il est exclu — d'approfondir mon analyse sur le rôle même d'un parti : est-il un stimulant pour la créativité de chacun ou au contraire un frein? Car c'est là le critère, à mon sens, de toute institution politique.

J'ai été écarté de la direction, puis du Parti, pour mes désaccords sur trois points fondamentaux :

D'abord pour mon attitude en 1968, où, cherchant à déchiffrer le sens de la révolte étudiante et à découvrir le dénominateur commun entre les exigences qui affleuraient dans leur bataille et les revendications ouvrières, il me sembla que nous trouvions, dans cette convergence, la possibilité d'un approfondissement de la conception même de la révolution socialiste : elle n'apparaissait plus seulement comme « prise du pouvoir » et suppression de l'exploitation de l'homme par l'homme, mais, selon la visée de Marx et des grands utopistes qui l'ont précédé, dépassement de l'aliénation fondamentale, c'est-à-dire d'un ordre dans lequel l'immense majorité des travailleurs (manuels et intellectuels) fait l'histoire d'un autre. Exigence de faire sa propre histoire. Et de ne pas la faire par procuration, par délégation, par aliénation de son initiative, de sa responsabilité, de son pouvoir de création aux mains d'un élu ou d'un dirigeant. Mais faire de chaque homme un créateur, un poète. Le Comité central de Nanterre, en 1968, fut invité à rejeter cette suggestion et la rejeta en effet. J'ai exploré ce problème en 1972 dans mon livre *L'Alternative.*

Le deuxième point de désaccord porta sur le programme même du parti, proposé au Comité central de Champigny, puis dans les thèses du XIXe Congrès et qui, pour l'essentiel, inspira le Programme commun de la gauche. Je le combattis dès le Comité central de Champigny, puis au Congrès, comme reposant sur une analyse périmée du développement actuel du capitalisme, sur une conception de l'unité conclue seulement au sommet, sans être structurée à la base, et fondée sur des compromis entre états-majors au lieu de reposer sur une étude théorique fondamentale du « nouveau bloc historique », enfin de donner du socialisme une image étriquée, scientiste et économiste, au lieu de le définir, comme Marx et comme Mao, à partir d'une vue plénière de l'homme de notre temps.

Le troisième point de divergence surgit lors de l'invasion de la Tchécoslovaquie par l'Armée soviétique. L'on rejeta alors ma position selon laquelle il ne suffisait pas de condamner l'intervention, mais d'en rechercher les causes profondes dans la conception et les structures du Parti communiste de l'U.R.S.S. d'où découlait un « modèle » de socialisme qui était une perversion du marxisme et ne correspondait nullement aux aspirations de notre époque.

Le problème essentiel aujourd'hui, alors que la « crise de l'énergie » a conduit à mettre en cause nos modèles occidentaux de civilisation, est d'appeler à une élaboration commune, à la base, à partir

127

de l'expérience de millions d'hommes et de femmes,
d'un modèle nouveau de socialisme répondant aux
exigences d'une époque où l'avenir n'est plus
dessiné en pointillé par le seul mouvement de
l'histoire passée, mais au contraire où nous disposons de moyens d'une telle puissance qu'ils peuvent
conduire à l'anéantissement de la vie, et où nous ne
pourrons les maîtriser qu'en nous assignant de
nouvelles fins.

LE TRAVAIL

Notre point de départ c'est le travail sous une forme qui appartient exclusivement à l'homme... Ce qui distingue le plus mauvais architecte de l'abeille la plus experte, c'est qu'il a construit la cellule dans sa tête avant de la construire dans la ruche. Le résultat auquel le travail aboutit préexiste idéalement dans l'imagination du travailleur.

Karl MARX, Le Capital.

Le travail de l'homme prolonge la création, lorsqu'il n'est pas aliéné.

Le travail, c'est le seuil franchi par l'homme, il y a trois millions d'années, lorsqu'il prit en main l'évolution biologique pour commencer l'histoire.

Ce seuil, depuis le milieu du XXᵉ siècle, c'est-à-dire depuis la découverte du Zinjanthrope par Leakey, en Afrique, peut-être assez clairement cerné

La vieille thèse popularisée depuis deux siècles : l'homme descend du singe, perd toute consistance. Depuis deux ou trois millions d'années existe un homme, c'est-à-dire un animal se tenant debout, dont les mains (libérées de la marche par la station debout) ont créé des outils (qui ne soient plus des parties du corps comme les griffes ou les crocs) et dont la mâchoire, libérée par la main et l'outil de

129

ses fonctions les plus brutales, libère la bouche pour la parole et desserre le bandeau de muscles qui, enserrant la boîte crânienne, freinaient le développement du cerveau.

L'outil et le travail complexe accompli avec lui jouent un rôle primordial : c'était la seule possibilité de survie pour un animal dont la station debout avait diminué les possibilités de déplacement rapide et dans toutes les directions (notamment dans les arbres) et dont la mâchoire, devenue fragile, réduisait la force. L'homme, sans l'outil, devenait le plus faible et le plus démuni des animaux.

Le détour de l'outil, dans le travail, pour relier le geste à l'objet, rendait possible et engendrait un autre détour : celui du symbole, du langage, pour lier l'individu au groupe, et pour relier le groupe à son milieu naturel.

Le travail et, avec lui et grâce à lui, la pensée ne se développent pas seulement dans les rapports entre l'individu et la nature physique mais dans les rapports entre l'individu et la société dans laquelle il vit.

Le travail humain se caractérise donc par une double transcendance de l'homme à l'égard de la nature ; d'abord ce travail, comme l'a montré Marx, est une activité prospective (« il est précédé par la conscience de ses fins ») : il marque l'émergence du projet, l'efficace de l'avenir sur le présent par l'anticipation humaine et le détour de l'outil et du symbole (du langage). C'est le premier recul libérateur par rapport aux besoins immédiats, la première distanciation, la première « transcendance » qui ne cessera de se manifester dans tout le cours ultérieur du développement de l'homme : la pratique déborde toujours la pensée, et, plus riche qu'elle, l'appelle à prendre le risque de l'imagination, du questionnement, de la recherche, de l'invention du futur.

Le caractère social de l'acte du travail crée une deuxième rupture en permettant à l'individu de se « décoller » de la nature physique par le rite magique et le mythe. « L'espace du singe, écrivait Henri Wallon, n'est pas autre chose que celui de ses gestes et de ses buts », alors que chez l'homme préhistorique, comme l'atteste l'art pariétal des cavernes, « la tentative d'expliquer le visible par l'invisible n'est pas une sorte d'aberration qui le détournerait du réel... son but est de dépasser les données de l'expérience simplement vécue ». Le rite et le mythe libèrent la pensée de la perception brute en distinguant ce qui est de ce qui le fait être et sur quoi il faut agir pour contraindre les choses. Le rite est une première technique comme le mythe est une première science.

Par cette double transcendance du travail l'homme ne se contente plus de subir l'évolution biologique, il crée l'histoire humaine.

Ce travail, qui marque le seuil que l'homme est la seule espèce animale à avoir franchi, est, à son origine, indivisiblement technique, magie, religion et art : l'homme, transcendant les contraintes du besoin immédiat et le cycle répétitif de l'instinct, s'assigne des fins toujours nouvelles et les réalise

131

par ce travail total, qui est en même temps création, poésie.

Mais, dès qu'avec les premières divisions sociales du travail, la terre, les outils, les machines cessent d'être possédées par celui qui les met en œuvre, l'aliénation du travail commence : esclave, serf ou prolétaire, celui qui travaille sans posséder ses instruments de travail — qui sont « aliénés » c'est-à-dire la propriété d'un autre — est dépouillé et mutilé de la dimension spécifiquement humaine du travail : il n'en fixe plus les fins. C'est le privilège du maître. Il n'en organise plus les moyens. Il n'en retire plus le fruit. Tout cela est aux mains du maître. Il devient instrument, moyen, objet. C'est ce que Marx, dans *Le Capital*, appelait « l'inversion des rapports du sujet et de l'objet ». Le sujet du travail et de l'histoire, l'homme, devient un objet, un exécuteur d'ordres, un appendice de la machine. La fin dernière du socialisme, pour Marx, est de restituer à l'homme, à tout homme, cette dimension perdue, cette dimension fondamentale de son travail, cette dimension spécifiquement humaine.

Par cette aliénation du travail l'unité de l'homme a été brisée : le travail intellectuel (la conception des fins et l'organisation des moyens) a été séparé du travail manuel (devenu exécution passive), le moment créateur du travail, l'art, a été séparé du travail devenu aliénation.

La fin dernière de notre lutte historique est de conquérir cette unité, où chaque homme sera à la fois technicien (construisant les moyens de développement des hommes) et philosophe (conscient du sens et des finalités de la vie de chacun et de l'histoire de tous), où chaque homme sera à la fois travailleur et poète, maître de son propre destin et inventeur de son propre futur.

Y a-t-il dans l'évolution actuelle du travail les germes vivants de cette transformation, de cette reconquête de l'unité humaine du travail et de la vie?

Le problème serait mal posé si nous nous demandions : l'homme peut-il trouver son épanouissement dans le travail ou en dehors de lui? Car la qualité des loisirs dépend de la qualité du travail.

Si le travail dégrade l'individu par l'émiettement des gestes, leur répétition et leur cadence, les loisirs de cet individu, réduit à la passivité par la fatigue industrielle et la dépression nerveuse, seront à leur tour dégradés et déshumanisés par la manipulation et le conditionnement : le loisir ne sera plus création, mais simple récupération, ou évasion.

Il y a des dégradations de la qualité de vie par le travail qui ne peuvent être compensées ni par la rémunération ni par le loisir.

Un rapport du groupe d'études patronal sur le problème des O.S. prévoit que « dans quelques années il y ait des travaux pour lesquels on ne trouvera plus personne ». Le même rapport, soulignant l'absentéisme croissant, les changements fréquents d'emploi, le taux des accidents du travail (coûtant 4,5 pour 100 de la masse salariale en cotisation, et le double si l'on tient compte des perturbations entraînées par ces accidents), rappelle qu'une étude de la C.E.C.A. dans les pays de la Communauté européenne établit que les accidents du travail sont le « symptôme d'une maladie de l'entreprise ».

Les remèdes envisagés ont été d'abord superficiels puis on a dû aborder le problème de la restructuration du travail et même celui de sa finalité.

Les premières tentatives furent très vite inefficaces, parce qu'elles ne s'attachaient pas à l'acte de travail lui-même, mais seulement à son contexte, à son ambiance hygiénique ou psychologique, sous la forme de « relations humaines », qui tendaient non à mettre fin à l'inhumanité du travail, mais, au contraire, à la perpétuer en la masquant. Cette orientation est encore très amplement répandue, et certaines conceptions de la « participation » n'en constituent guère qu'une variante nouvelle cherchant à poursuivre, sous une autre forme, la tromperie des « relations humaines » démasquée, en 1968, tant par les étudiants que par les ouvriers.

Le problème réel a été abordé lorsque l'on a commencé à étudier la relation de l'homme avec ce qu'il fait et non pas seulement avec le milieu dans lequel il le fait.

Le point de départ de l'expérience est celui de *l'élargissement des tâches :* afin que le travail offre à l'individu la possibilité de se développer, l'on confie à l'O.S. les opérations d'entretien, de réglage et de contrôle, l'on organise une rotation des postes afin que le travail comporte un apprentissage permanent, et l'on associe le travailleur, jusque-là parcellaire, à l'amélioration des méthodes.

La deuxième étape, après celle de l'élargissement des tâches, fut celle de *l'enrichissement des tâches*. Cela impliquait deux transformations radicales : d'abord une formation permanente amenant l'O.S. à s'initier, par exemple, à l'emploi des instruments de mesure et à la lecture des plans, ensuite un rôle nouveau de l'encadrement, à partir du moment où des groupes autonomes fabriquent, sous leur propre responsabilité, une unité réelle (par exemple le montage d'un appareil de télévision); l'ingénieur ou le contremaître cessent d'être des chefs pour devenir des conseillers ou des moniteurs, et, en même temps, perdent leur utilité les horloges de pointage, les chronomètres, les surveillants.

L'étape suivante est celle de la mise en place d'un système d'information des ouvriers sur les objectifs de l'entreprise, et de formation permanente, à l'intérieur de l'usine, aux techniques nouvelles.

A cette étape l'on est près de franchir un seuil décisif. Il est dans la logique de l'ensemble des expériences nouvelles sur l'organisation du travail de poser cette question : la participation technique des ouvriers consistera-t-elle seulement à discuter la meilleure manière d'atteindre des objectifs, ou à mettre en cause le choix des objectifs eux-mêmes?

Toutes les expériences nouvelles d'organisation du travail que nous avons évoquées jusqu'ici aboutissent à des résultats convergents : le rendement du travail est plus élevé lorsque s'amenuisent les contraintes extérieures du contrôle au profit de la possibilité, pour un collectif, avec l'aide d'ingénieurs et de moniteurs, d'organiser lui-même le travail, de déterminer le temps et les cadences, d'aménager les installations, en un mot lorsque les tâches sont recomposées de telle sorte que la responsabilité des individus et des groupes prend un sens. Pour augmenter la productivité, la motivation a plus d'importance que l'automatisme du geste. Il est plus rentable d'adapter le poste de travail à l'homme que l'homme au poste de travail.

Tout cela se ramène à une exigence fondamentale de notre époque : à l'étape actuelle du développement des sciences, des techniques, de l'économie et des rapports sociaux, il est devenu nécessaire, si l'on veut éviter des convulsions et un pourrissement de l'histoire, de mettre en œuvre, dans le travail de l'homme, ce qu'il y a en lui de spécifiquement humain.

Quelles sont aujourd'hui les conditions de la réalisation historique de l'homme du XXIe siècle, par la restructuration de son travail?

Les obstacles principaux, dans tous les régimes actuels, bien qu'avec des variantes sont : la forme de la propriété, et la techno-bureaucratie.

Les rapports entre le travail et la propriété se présentent de nos jours d'une manière originale : la caractéristique majeure de notre temps, c'est moins l'affrontement idéologique sur le transfert de la propriété d'un groupe à un autre ou le passage de la propriété privée à un socialisme d'État, que le fait objectif de la nécessaire désintégration de la propriété privée des entreprises sous peine de mort de la société.

Il y a plusieurs années déjà, Lewis Mumford

prédisait l'abandon du concept de propriété privée
des ressources naturelles : elles deviennent aujour-
d'hui trop précieuses et trop rares pour permettre
que leur épuisement soit livré au marché et à la
concurrence.

Il en est de même en ce qui concerne l'environne-
ment : la protection des conditions élémentaires de
la vie, contre le déboisement et l'urbanisme anar-
chique des sociétés immobilières, contre les pollu-
tions de l'air et des eaux, devient incompatible
avec « la liberté d'entreprise », corollaire de la
propriété privée.

La séparation croissante entre la propriété et la
gestion effective des entreprises, confiée à des
managers salariés, fait de la propriété une survivance, désormais parasitaire, d'une époque où le
propriétaire était entrepreneur, assumant la responsabilité, la direction et le risque.

Avec le rôle croissant joué par les sciences dans
l'expansion des entreprises, il devient paradoxal
que les investissements essentiels — ceux de la
recherche fondamentale et de l'éducation — soient
payés par l'ensemble de la nation alors que les
profits essentiels n'en reviennent qu'aux détenteurs
des titres de propriété.

Enfin, tant que le profit demeure le stimulant
principal de l'expansion, aucune planification à
finalité humaine n'est possible, et la satisfaction des
besoins privés, même artificiels et même nocifs,
l'emporte sur la satisfaction des besoins sociaux et
de la promotion de l'homme.

Les finalités du travail national ne peuvent être

fixées « du dehors » et « d'en haut », par des
groupes tout-puissants, détenteurs de la richesse et
libres de l'investir là où les profits sont les plus
grands.

Ces finalités ne peuvent être fixées non plus par
une techno-bureaucratie d'État. Car c'est le
deuxième obstacle, qui survit à la propriété privée
des moyens de production : celui d'une hiérarchie
bureaucratique décidant, elle aussi, du « dehors » et
« d'en haut ».

Le mot de « hiérarchie » évoque, par son étymo-
logie, l'idée du commandement et l'idée du sacré.
C'est une notion théologique : la finalité du travail
est imposée « du dehors » et « d'en haut » avec une
sorte de transcendance.

Or, ce modèle de transcendance, fondé sur une
extériorité spatiale, est périmé même en théologie.
Dans sa *Théologie du travail,* le père Chenu combat
la conception dualiste de la hiérarchie selon laquelle
Dieu aurait son projet et le travail de l'homme n'en
serait que l'exécution obéissante : « Le travail, dit-
il, est une participation active et libre à la création
et à la gestion divine du monde. » Peut-être cette
conception théologique de la participation dans le
travail vaut-elle d'être méditée par les chefs d'entreprise comme par les dirigeants politiques, car il
devient de plus en plus paradoxal et dangereux de
prétendre maintenir, pour le patronat et pour la
technocratie, pour la planification et pour l'organisation du travail, des formes de dualisme et de
transcendance que les théologiens ne revendiquent
même plus pour leur Dieu.

Pour changer fondamentalement le travail à l'échelle des exigences de notre temps, non seulement dans son organisation mais dans sa finalité et sa signification humaines, il ne suffit pas de restructurer les méthodes et les moyens, de mettre fin aux contraintes externes et humiliantes des pointages, des contrôles, des cotations par postes, de transformer les chefs et les cadres en moniteurs et en conseillers, de revaloriser les salaires et de réduire la durée du travail. Tout cela est absolument nécessaire, mais non suffisant, car le problème crucial du travail demeure : quel modèle d'organisation du travail permet un contrôle humain de la croissance à l'étape actuelle du développement des sciences et des techniques?

Il n'existe jusqu'ici que deux modèles : un modèle de jungle, où la planification nationale n'est que la résultante d'un rapport de forces entre les intérêts de puissants groupes affrontés — c'est en gros le modèle dit capitaliste; ou bien le modèle mécanique où le plan est décidé centralement par l'État, ce qui élimine incontestablement les formes les plus perverses de la production ordonnée aux intérêts et aux profits privés, mais sans mettre fin à l'aliénation du travail.

Le problème est de concevoir un autre modèle, qui ne soit plus le modèle de jungle, ni le modèle mécanique, mais un modèle cybernétique garantissant, non pas seulement en parole mais en fait, le « feed back » des initiatives et des contrôles de la base, et créant, en commençant par en bas, c'est-à-dire par les décisions et les responsabilités des

139

unités de base du travail, manuel ou intellectuel, de grands ensembles s'autorégulant pour aboutir à l'intégration nationale à partir de l'autogestion.

L'autogestion ne désigne pas une technique particulière d'organisation du travail ou des rapports sociaux. C'est un concept limite, l'horizon de toutes les recherches et de toutes les tentatives pour transformer radicalement le travail en conduisant à son terme la dialectique ascendante que nous évoquions au début de cet exposé : en fonction des exigences de la nouvelle mutation scientifique et technique — celle de l'ordinateur et de l'automation —, réaliser la nouvelle « inversion des rapports du sujet et de l'objet » par laquelle le travail humain retrouvera sa dimension fondamentale : la conscience et le choix autonome de ses fins.

Cela suppose la lutte contre toute espèce d'extériorité ou de transcendance de la propriété ou de la bureaucratie à l'égard du travail.

Cela suppose la lutte contre toutes les formes d'aliénation du travail, privant l'homme de son caractère spécifiquement humain.

Alors seulement le travail conquerra sa plénitude humaine : lorsque le travail n'est pas séparé de la conscience, du choix et de la réalisation de ses fins, il passe de l'aliénation à son contraire, la création.

Cela ne signifie pas que l'homme se réalisera exclusivement dans son travail productif, mais que si, dans son activité productrice, son travail s'accomplit ainsi, ses loisirs ne seront pas hypothéqués par les servitudes et les aliénations du travail et que le temps libre, qui ne cessera de croître, ne sera plus celui de l'évasion, ou de la récupération de ce qui est dégradé par le travail, mais celui d'un loisir actif et créateur.

Une telle perspective ne peut apparaître utopique qu'à ceux qui refusent toute distanciation à l'égard du modèle actuel de développement ou qui sont impuissants à la concevoir.

Si nous nous abandonnons aux dérives catastrophiques de l'organisation présente du travail, si nous n'acceptons pas le défi de combattre l'entropie de nos sociétés, nous serons les témoins et les victimes, résignées ou révoltées, mais toujours impuissantes, d'un long pourrissement de l'histoire, d'une morne et convulsive alternance entre l'anarchie d'un modèle de société individualiste et les déchéances de modèles d'intégration totalitaire.

Le problème ultime est celui-ci : au delà du modèle individualiste et du modèle totalitaire de société, serons-nous capables de concevoir et de réaliser le modèle prospectif fondé sur une conception du travail qui ne soit plus mutilé de ses dimensions les plus hautes : la poésie et l'espérance ?

LES AUTRES

L'enfer c'est l'absence des autres.

L'enfer c'est la fermeture à l'autre.

Je nais habité par les autres. Puis une éducation
mutilante d'Occidental me réduit à être tout seul, et
à avoir l'illusion d'être la source de tout le reste.

« Je pense, donc je suis. » L'une des plus belles
perles du sottisier occidental! Quatre postulats
escamotés en cinq mots.

« Je. » Il n'est pas vrai qu'au commencement
était moi. Tout au contraire je me distingue peu à
peu, et à grand-peine, d'une totalité confuse des
choses et des autres vivants. C'est une conquête de
mon enfance première. Le moment où je m'affirme
comme individu, distinct de tous les autres, séparé,
sinon affronté, cette affirmation individualiste est

143

historiquement datée et géographiquement située : elle est née avec la Renaissance, c'est-à-dire à la naissance du capitalisme et du colonialisme, et en Europe. Il est vrai qu'à partir de cette mutation historique caractérisée par l'institution généralisée du marché et de ses concurrences, chaque homme est devenu le rival de chaque autre, que la liberté a été cadastrée comme la propriété : ma liberté s'arrête là où commence la liberté de l'autre.

Il est vrai aussi que cet individualiste barricadé dans son moi égoïste a considéré l'Europe comme le nombril du monde : tous les autres n'étant que barbares ou primitifs.

Les Indiens ont-ils une âme? se demandaient gravement les gens d'Église au xvie siècle. Il fallut plusieurs papes pour en décider.

« Je connus que j'étais une substance dont toute l'essence ou la nature est de *penser*. » Cette maladie vient de plus loin, de Socrate et de Platon; tout ce qui ne peut se traduire en concepts n'existe pas. Descartes pousse cette désolation à son terme : l'amour, la création esthétique, l'action même (autre que technique), où ont-ils leur place? Essayez de tirer une esthétique de Descartes! Ou d'apprendre de lui ce qu'est l'amour! Un soir de tristesse vous chercherez dans ce traité de mécanique qui s'appelle, curieusement, *Traité des passions*.

« Donc. » De quelle « logique » peut se réclamer cette « conclusion »? Quelle distance y a-t-il entre ma pensée et moi? Entre mon amour et moi? Entre mon acte et moi? Et si elle existait, quel raisonnement pourrait la franchir? Comment recoller les morceaux de cet homme déchiqueté : ici l'âme et là le corps; ici moi et là les autres?...

« Je suis. » Quelle est cette « substance », cette « essence », cette « nature »? que l'on pourrait saisir comme une chose extérieure (comme les choses sont extérieures aux choses) distincte de l'action elle-même comme une machine peut être décrite par le géomètre avant son fonctionnement et indépendamment de lui.

Je sais que l'on a utilisé toutes les magies verbales, de Kant à Fichte et Hegel, de Husserl et de Heidegger à Sartre, pour échapper à ces très simples conséquences. Tout cela tendait à réintégrer les autres dans le moi, à prendre conscience que les autres ne m'aident pas seulement à me connaître moi-même, mais que je n'existe que par eux et avec eux.

Tout cela pour aboutir à la relation la plus pauvre avec les autres : pas l'amour, ni le travail, ni la création, mais le regard et le conflit; l'autre ne faisant partie de moi-même que comme sa négation! Comme si chacun tentait seulement d'échapper à une emprise, à lutter contre l'autre comme sa limite au lieu de l'aimer comme sa condition. Comme si en aimant je perdais de mon être, au lieu de ne le constituer que par l'amour. Comme si le regard de l'autre m' « aliénait », comme si je devais riposter en le transformant, par mon regard, en objet : « L'enfer c'est les autres! » s'écrie un héros de Sartre.

Le cartésianisme à l'aube conquérante de l'indi-

145

vidualisme, et l'existentialisme qui a vécu la crise et la faillite de l'individualisme, sont de pauvres philosophies car l'autre n'y a d'existence que par ma pensée ou par mon regard. Elles dégénèrent aisément en technique de puissance et de manipulation par l'individu et sa pensée, avec Descartes, ou en philosophie du désespoir, où la vie n'existe que par la mort et le néant, depuis Heidegger.

Philosophies sans espérance, parce qu'elles sont sans amour et sans foi.

Le même problème se transpose lorsqu'on aborde l'ethnologie où l'on regarde « les autres » (il s'agit ici des autres cultures et des autres civilisations) exclusivement du point de vue de l'homme occidental, tenu, par un postulat prétentieux et sournois, pour le centre et la mesure de toute chose, c'est-à-dire de tous les autres. L'idéologie occidentale, baptisée « science », est considérée, par postulat, comme axe de référence, et tout ce qui est non occidental est situé en tel ou tel point inférieur de cette trajectoire dont la « pensée occidentale » est l'aboutissement. L'on ne saurait donner meilleur fondement au colonialisme, au néo-colonialisme, à tout ce qui fausse radicalement les rapports (y compris politiques et économiques) avec les peuples de ce que l'on appelle « le tiers monde », c'est-à-dire du monde non occidental contre lequel, depuis un demi-millénaire, tout a été mis en œuvre, depuis le pillage de leurs richesses et la destruction de leurs structures sociales, jusqu'à la négation de leur culture, pour arrêter leur développement.

Une « ethnologie » proprement dite ne commencera que par un véritable dialogue des civilisations, c'est-à-dire lorsque l'on considérera l'autre homme comme ce qui me manque pour devenir pleinement homme, et comme un interlocuteur dont j'ai quelque chose à apprendre.

Lorsque, par exemple, un Chinois ou un Indien, rompu à la méditation du bouddhisme et de toutes les cultures d'Asie sur le désir, fera l'ethnologie de la publicité occidentale ou de la Bourse et situera sans doute ces manipulations barbares et primitives du désir à une étape historique depuis longtemps dépassée par les sagesses de l'Orient. Ou lorsqu'un ethnologue noir, formé par les solidarités communautaires de l'Afrique, fera l'ethnologie tribale des sociétés multinationales et y trouvera les tendances prédatrices propres au cerveau « reptilien » le plus archaïque, antérieures à des communautés proprement humaines.

Peut-être alors des « coopérants » venus d'Asie, d'Amérique latine ou d'Afrique viendront-ils nous aider à concevoir et à vivre des rapports proprement humains entre l'homme et la nature, entre l'homme et les autres hommes, entre l'homme et son propre avenir.

L'autre, c'est aussi la femme. Autre dimension perdue dans une société qui, depuis des millénaires, est exclusivement faite par les hommes et pour les hommes, mettant au premier plan les valeurs de domination politique, technique ou sexuelle, simplement parce que l'on a oublié la complémentarité de la femme au profit de sa subordination comme moyen de l'homme : soit comme main-d'œuvre surexploitée, soit comme servante du foyer, mutilée des possibilités sociales extérieures, soit comme moyen de jouissance sexuelle ou d'ornementation sociale. Alors que la rencontre d'amour crée un nouveau feu, fait jaillir de nouvelles sources. Et l'univers de l'homme en est agrandi.

Sur tous les plans nous sommes ramenés à cette vérité fondamentale de la vie : ce qu'il y a de plus intime et d'essentiel en moi, c'est la présence et l'amour des autres. L'autre, les autres, c'est ma transcendance, ce qui m'appelle au delà de mes limites individuelles, ce qui me constitue comme homme. L'humanité n'est pas une aventure solitaire. C'est une conquête de la communauté. Une communion. La seule médiation possible avec le tout autre.

A condition d'aimer les autres un par un. Pas comme un collectif abstrait.

Cet amour-là fera la relève de la famille traditionnelle. Lorsqu'elle n'a plus de fondement religieux, ni biologique, ni économique, ni même éducatif, l'amour est libéré de ces limites de fait. Il n'y a pas discontinuité dans ce passage. L'amour de nos enfants devient spécifiquement humain lorsqu'il échappe aux tutelles de la famille, c'est-à-dire lorsque cet amour « sacré », « charnel », etc., s'est reconverti en amour parfaitement réciproque et libre avec l'autre, au delà du sang, du devoir, de l'intérêt ou même du respect.

Ce qu'il y a de merveilleux dans cette métamorphose, c'est qu'avec nos enfants nous en vivons chaque étape comme un détachement, comme une libération. Mon fils né de moi, d'abord peu distinct de moi par obéissance, par imitation, par confiance ou par révolte, devient peu à peu adulte. Il se définit de moins en moins par rapport à moi, fût-ce dans ses négations. Cela m'oblige et m'appelle : continuer à l'aimer non pour sa ressemblance avec moi mais pour sa différence, c'est une fécondante rupture, une brèche dans la cuirasse de mes certitudes. Une autre vie possible est commencée par lui, celle que je n'ai pas osé entreprendre, ou que j'ai réprimée en moi, ou que je ne soupçonnais peut-être pas. Cela aussi fait partie de moi-même. J'en suis responsable et j'y suis étranger. Une partie de moi-même a conquis sa plus radicale autonomie et m'ouvre à de nouvelles richesses. Alors commence l'amour au delà des particularismes familiaux, du provincialisme de clan. Il est l'autre homme, dont la vie m'interpelle.

Celle de ma fille, née de moi, est une autre expérience, plus déroutante et mystérieuse encore. « Ma fille, cette part féminine de moi-même », comme dit un héros de Claudel. Elle est cette multiplicité de possibles qui ne seront jamais les miens et que j'ai rêvé pourtant de réaliser. Ma mère a dû éprouver, à mon égard, le même sentiment; quand j'avais dix-sept ou dix-huit ans elle était ma plus proche et meilleure amie : je lui disais ce que je n'osais pas m'avouer à moi-même. Quand ma fille a eu à son tour dix-sept ou dix-huit ans j'espérais cette transparence. Je n'y suis point parvenu, sans aucun doute parce que je n'ai pas su faire comme ma mère : accepter sans réserve de ne pas juger, mais d'accueillir, et de grandir, avec ses propres enfants, de tous les possibles qu'ils réalisent sans nous, en dehors de nous, parfois contre nous. Car c'est ainsi que nous nous ouvrons aux vraies richesses, celles de l'autre, dans sa différence. Il nous est spontanément plus difficile d'accepter dans leur différence nos propres enfants que des étrangers. Parce que nous vivons encore sur le mythe qu'ils sont issus de nous, et, disons le mot, un peu notre propriété. Si bien que leur légitime autonomie nous la ressentons comme un éloignement. Il nous faut donc, pour les aimer dans leur totale liberté, surmonter plus de résistance intérieure que pour des gens qui n'appartiennent pas à notre famille. C'est une survivance, mais elle est tenace. Apprendre à la vaincre dans l'amour inconditionnel de nos propres enfants est une excellente école de l'amour de tous les autres.

Enfin, les autres, c'est la révélation de la transcendance. De la transcendance du tout autre.

Dieu n'a pas d'autre visage que celui de ces autres hommes et de ces autres femmes. Il n'y a pas d'autre voie, pour aller à lui, que de le reconnaître en chacun d'eux. Il *n'est* pas. Il *fait*. Son action n'est pas extérieure à celle de chacun des autres : il est, en chacun d'eux, sa dimension spécifiquement humaine, sa transcendance qui interdit de juger un être humain seulement selon son passé, comme fait la justice, mais qui nous somme, au contraire, de faire un pari sur l'avenir de l'autre, sur l'infini de ses possibilités de métamorphose et de devenir, ce qui est l'amour.

Comme attitude à l'égard des autres l'amour
n'est pas le prolongement de la justice, une plus
grande justice : il en est le contraire. Au début des
Misérables de Victor Hugo l'évêque de Digne reçoit
à sa table l'ancien forçat Jean Valjean, qui lui vole,
en partant, ses candélabres d'argent. Aux gen-
darmes qui ramènent chez lui le voleur, l'évêque
déclare : « Je les lui ai donnés. » Alors que le
policier Javert traquera Jean Valjean pendant toute
sa vie. Qui est le juste? C'est le policier Javert.
Alors que l'évêque de Digne a soustrait un voleur à
un « juste » châtiment. Car la justice consiste à
traiter chacun selon ce qu'il est, c'est-à-dire selon ce
qu'il a fait, selon son passé. A chacun son droit, ce
qui lui est dû : à l'esclave ce qui est dû à l'esclave,
au maître ce qui est dû au maître. Au voleur ce qui
est dû au voleur, c'est-à-dire la prison.

Dans une société capitaliste donner au patron ce
qui est dû au patron, c'est lui accorder la liberté
d'entreprise, même si elle va à l'encontre de
l'ouvrier ou du bien public.

L'amour rompt cette règle du jeu, cette règle de
l'ordre. C'est pourquoi les hommes d'ordre n'aiment en général pas l'amour. C'est un fauteur de
désordre. C'est un pari sur l'avenir d'un homme.
Toute une vie peut être subvertie (comme celle de
Jean Valjean) par ce pari, par cet acte d'amour qui
lui donne l'espace de liberté nécessaire pour devenir
autre.

Je ne conteste pas la nécessité, dans un ordre
donné, toujours historique et relatif, de réaliser la
justice, c'est-à-dire cet ordre sous sa forme la plus

achevée. Il y a la nécessité, et puis il y a les ruptures de cette nécessité. Je demande seulement qu'on admette cette possibilité de rupture, qui s'appelle la foi au delà du concept, l'amour au delà de la justice, la révolution au delà de l'ordre établi.

Une révolution authentique, pour être un changement radical dans les rapports humains, n'est pas seulement le triomphe de la justice mais le triomphe de l'amour.

LE PASSÉ

Il ne prend son sens qu'en fonction du présent.
(Voir ce mot.)

LE PRÉSENT

Il ne prend son sens qu'en fonction de l'avenir.
(Voir ce mot.)

L'AVENIR

Tout, dans l'existence *est* en fonction de l'avenir.

Le passé est un champ de souvenirs et de nostalgie, de faits (c'est-à-dire de choses *faites,* d'actes cristallisés en objets ou en institutions), et de nécessité, car, à chaque carrefour du temps, l'éventail des possibles s'est refermé dès qu'une route — et par définition une seule — a été ouverte ou choisie.

L'avenir est un faisceau de projets, de possibles, d'espérances, de liberté, car nous avons encore à choisir entre des possibles ou à en créer d'autres.

Le présent, c'est la frontière entre les deux : le théâtre de la métamorphose. Avec sa marche descendante, celle des abdications où l'on renonce à avoir une âme : les projets se dégradent en souvenirs, et les espérances en nostalgies, les possibles y prennent la rigidité cadavérique du fait, les jaillissements multiples de la liberté retombent et se coagulent en nécessité unique et inerte.

Avec sa marche ascendante : dans une histoire remise en fusion et en question parce qu'elle s'ouvre à un avenir nouveau, dans une histoire en train de se faire qui n'est pas le prolongement de l'histoire faite, parce que l'homme y exerce son droit de reprise sur le destin, des souvenirs se réactivent et se redéploient pour se transformer et entrer comme éléments de l'invention d'un projet neuf. Contre l'illusion d'optique des regards rétrospectifs qui ne nous révèlent qu'un passé unidimensionnel, les faits historiques apparaissent comme ayant émergé d'une multiplicité de possibles et de projets dont un seul est resté le vainqueur. L'histoire tout entière se révèle œuvre de liberté. Il suffit pour cela que le présent soit un présent humain. C'est-à-dire que l'homme y soit présent : présent au sens de don, et au sens de présence.

Les faits, en histoire, c'est ce qui a été fait, et fait par des hommes. Prendre pleinement conscience de cela, c'est assumer la pleine responsabilité de notre histoire et de notre avenir. Car, pour défataliser l'avenir, il faut défataliser l'histoire.

Nous ne sommes pas au bout d'une trajectoire rigide que nous aurions seulement à prolonger.

Cette conception du passé et de son histoire (de l'histoire faite et de l'histoire écrite), pouvait difficilement émerger tant que « l'Occident » avait l'illusion d'être le seul centre d'initiative historique et le seul créateur de valeurs. Dans une telle perspective chaque civilisation non occidentale était étalonnée et située en fonction de la seule ligne de développement des sociétés occidentales, tenues pour exemplaires, comme si aucune autre forme de relations avec la nature, avec les autres hommes, avec l'avenir, n'était possible en dehors de la démarche conceptuelle et techniciste de l'Europe, surtout depuis la Renaissance, c'est-à-dire, répétons-le, depuis la naissance simultanée du capitalisme et du colonialisme, qui ont nié (quand ils ne les ont pas détruites) les autres cultures : celles de l'Asie, de l'Afrique, de l'Amérique préhispanique.

Pour aider à cette prise de conscience de l'unité de l'homme toujours en naissance et toujours en croissance dans son passé comme dans son avenir, un véritable « Dialogue des civilisations » aiderait à vérifier les hypothèses de travail suivantes :

1. *Toute explosion culturelle est précédée d'une implosion,* c'est-à-dire d'une convergence, en un point privilégié, de multiples apports culturels. C'est ainsi que peuvent être démystifiés le « miracle grec » qui puise aux sources de l'Égypte, de l'Inde, de la Perse et de tout le bassin méditerranéen ; ou la Renaissance européenne qui serait inintelligible sans les apports de l'expansion arabe, des invasions mongoles véhiculant des apports chinois, sans la redécouverte non seulement de la Grèce et de Rome mais de la Perse, et, plus tard, des civilisations amérindiennes.

2. *La contingence des hégémonies.* L'un des grands malheurs de l'histoire écrite, c'est d'avoir été écrite par les vainqueurs qui ont toujours voulu prouver que leur hégémonie était une nécessité

historique, c'est-à-dire qu'elle découlait nécessairement de la supériorité de leur culture et de leur
civilisation. Il en fut parfois ainsi, mais le plus
souvent la supériorité technique et militaire n'impliquait pas nécessairement la supériorité de la culture
et du projet humain porté par les vainqueurs. Les
prodigieuses chevauchées et les victoires des
empires des steppes furent les victoires du cavalier
sur le fantassin ou de l'épée de fer sur l'épée de
bronze. Le triomphe des Romains sur la Grèce fut
une victoire de l'organisation militaire et de l'organisation tout court. La conquête des Portugais et
des Espagnols, détruisant les civilisations antérieures
de l'Amérique, est le fruit de leur seule brutalité et
de leurs armes à feu.

3. *Une histoire totale ne peut être qu'une histoire
des possibles humains,* la recherche et la reconquête
des dimensions perdues de l'homme à travers les
occasions perdues de l'histoire. De ce point de vue,
qui est celui de l'importance du projet humain
conçu ou vécu à telle ou telle époque et du rôle qu'il
continue à jouer dans notre propre vie actuelle,
l'hymne au soleil d'Akhénaton est infiniment plus
précieux que toutes les batailles de Ramsès. La
réforme d'Akhénaton est le type de l'un de ces
possibles humains avortés dans les recherches de
l'unité de l'homme. L'important est donc de souligner qu'à chaque époque de l'histoire plusieurs
possibilités étaient ouvertes et qu'une seule s'est
réalisée. En un mot *nous ne pouvons défataliser
l'avenir que si nous défatalisons l'histoire.*

Chaque grande œuvre de l'homme, du simple outil au code moral, du plan d'urbanisme à l'œuvre d'art ou au credo religieux, n'est jamais le simple reflet d'une réalité mais le modèle ou le projet d'un monde à transformer ou à créer, d'un ordre qui n'existe pas encore, une anticipation du futur. Lire l'histoire d'une manière qui ne soit pas positiviste (c'est-à-dire une histoire d'où l'homme serait absent), c'est déchiffrer ce projet humain cristallisé dans une œuvre d'homme. Cela nous conduit à poser ce quatrième principe :

4. *Un projet de civilisation avorté peut avoir laissé sa trace* dans une secte religieuse, dans une utopie, dans une révolte, dans une œuvre d'art sans postérité immédiate, et cristallisant pourtant en elle un projet de civilisation.

Savoir lire l'histoire, non comme une série de faits unidimensionnels liés par la fatalité d'un destin, mais au contraire comme une infinité de possibles fourmillants et bourgeonnants, et toujours témoins de l'émergence poétique de l'homme, de ses efforts prophétiques de création, c'est se poser des questions de ce genre : qu'aurait été une civilisation, inspirée dans tous ses aspects (économiques, politiques, religieux, etc.) par l'esprit qui s'est cristallisé seulement dans une œuvre d'art ou dans une utopie qui n'ont pas eu d'avenir immédiat? De ce point de vue par exemple, le monde surréel de Paolo Uccello, qui n'a pas eu d'influence notable sur ses contemporains, peut nous apporter un enrichissement humain au moins aussi grand que celui de la grande lignée historique qui, de Piero Della Francesca à Léonard de Vinci, a modelé notre civilisation pendant plusieurs siècles. De ce point de vue encore l'utopie mort-née de Joachim de Flore, qui ne revivra qu'épisodiquement dans les révoltes également étouffées de Jean Huss et de Thomas Münzer, peut rayonner en nous d'une vie plus intense que l'œuvre triomphante de saint Thomas D'Aquin, qui a structuré pendant des siècles une Église et une civilisation.

Il s'agit de découvrir en chaque œuvre ce centre, le plus profond de l'homme, où science et poésie ne font qu'un, ne sont qu'un seul acte : l'*acte de la création* continuée de l'homme par l'homme, résolument orienté vers l'invention du futur.

Un véritable dialogue des civilisations n'est possible que si je considère l'autre homme et l'autre culture comme une partie de moi-même qui m'habite et me révèle ce qui me manque. Grâce à lui des dimensions perdues renaissent en moi, des émotions que l'on croyait englouties, des beautés et des émerveillements que nous croyions oubliés.

Par lui je découvre d'un même mouvement ce qui me manque et ce qui est possible. Tout un bourgeonnement de mondes possibles. Au delà du réel le surréel. Nous ne trouverons cela ni par un simple retour à un passé déjà réalisé ni par une évasion dans un ailleurs tout fait. L'avenir n'est ni le retour d'un âge d'or ni un scénario déjà écrit sans nous et que nous n'aurions qu'à jouer à la manière de marionnettes mises en scène par les structures.

L'avenir, nous ne le découvrons pas comme Christophe Colomb découvrit l'Amérique. Nous n'avons pas à le découvrir mais à l'inventer.

L'histoire, c'est-à-dire à la fois l'histoire en train de se faire par notre action et l'histoire déjà faite étudiée par les historiens, n'est pas seulement une réalité déjà existante que nous aurions simplement à analyser mais un poème commencé que nous avons à créer.

Un ordre radicalement neuf, inaugurant un avenir inédit, ne peut se concevoir à partir des concepts, de la logique ou de la rationalité régnante. L'imagination poétique et prophétique, l'imagination constituante, qui est la transcendance de la raison, prend alors nécessairement la forme de l'utopie, qu'elle soit messianique ou prométhéenne dans ses motivations, c'est-à-dire qu'elle ait conscience d'être accomplissement des pouvoirs de l'homme ou des promesses d'un Dieu.

Son rôle dans l'histoire est de réveiller les morts. De nous aider à prendre conscience que le passé avait un avenir. Que les morts ont un avenir. Que l'histoire n'est pas la cité des morts, la lente et inéluctable dérive d'un fleuve figé par le gel.

L'homme ne se définit que par son avenir, par ses possibles. Par lui, toute réalité naît d'un océan de possibles. L'histoire même ne peut être abordée que du point de vue du futur : elle n'est pas la réalisation d'un plan divin, ni un amoncellement de « données » brutes. Elle n'est pas le passage déterministe de la cause à l'effet, mais le passage finalisé, proprement humain, du possible au réel.

L'homme est regard en avant, mouvement en avant. Pour transformer le monde : non pas prédiction du futur mais invention de l'avenir. Le futurologue positiviste (à la manière d'Herman Kahn) est le contraire d'un prophète : extrapolant à partir du présent et du passé, il mène contre l'avenir une guerre préventive afin de le coloniser au profit du présent.

L'espérance ne peut se déduire d'aucune expérience. Il y a au contraire conflit permanent et nécessaire entre l'expérience et l'espérance. Car l'expérience ne porte que sur le passé et le présent. L'espérance est anticipation militante de l'avenir. L'homme naît avec l'émergence du projet. A la différence des autres espèces animales mues par des poussées instinctives du passé, l'avenir qu'il conçoit exerce une influence efficace sur le présent qu'il construit. A partir de la seconde moitié du XXe siècle, le problème de l'anticipation du futur pour l'action présente devient un problème majeur et inéluctable. Pourquoi? Tant qu'une société se reproduit elle-même sans changements notables pendant plusieurs siècles, la prévision de l'avenir lointain peut, certes, avoir un intérêt, un intérêt spéculatif, poétique peut-être, mais elle n'a pas d'importance réelle pour l'action immédiate.

Celle-ci est au contraire commandée par des modèles mythiques ou des modèles religieux qui enseignent à reproduire par le mythe ou le rite l'acte primordial de l'ancêtre ou du Dieu. Lorsque, au contraire, l'accélération du développement des sciences et des techniques est telle que les hommes doivent vivre dans un milieu en métamorphose permanente et réorganiser leurs rapports sociaux en fonction de ces changements, s'ils ne veulent pas, en chaque moment, être pris au dépourvu, alors la dimension du futur prend une importance croissante. Ce n'est pas par hasard mais par une nécessité de l'histoire que les grandes utopies sont nées à des moments de fracture dans le développement de l'humanité. A la Renaissance, puis au XVIIIe siècle avec la première révolution industrielle, enfin au lendemain de la Révolution française, pour disparaître, au moins comme élément vivant, aux environs de 1840. Alors commence, avec Marx, la recherche de lois de développement du système existant, la recherche des indices et des conditions du futur dépassement du système existant. A partir de 1950, avec la nouvelle grande mutation scientifique et technique, celle qui est caractérisée notamment par la manipulation de l'énergie nucléaire, par la cybernétique, par la généralisation du rôle de la radio-télévision, le rythme des transformations est à tel point accéléré que la prévision, déjà au niveau de l'entreprise, et plus encore au niveau des États, ne peut plus être seulement une affaire individuelle et une affaire de flair ; elle devient un secteur spécialisé de l'activité sociale. Alors naît la prospective pour répondre d'abord aux exigences de la planification. C'est dans cet esprit que l'avait conçue Gaston Berger, refusant de se limiter à la simple prévision technologique.

L'avenir ne peut plus être conçu simplement comme le prolongement du passé ni comme une extrapolation à partir du présent. Il faut l'imaginer. Il faut l'imaginer selon une conception de l'homme et de la société mettant en cause les finalités du système.

Contrairement à un préjugé fort répandu, la prospective ne peut pas être considérée, au niveau de l'entreprise, comme un service auxiliaire du marketing, et, au niveau de l'État, comme un service auxiliaire de la planification. Au niveau de l'entreprise, comme au niveau de la nation, le point de départ de toute réflexion prospective, c'est la prise de conscience de la brusque accélération du rythme de l'histoire qui s'est opérée au milieu du XXe siècle.

En ce qui concerne la méthodologie de la prospective, la profondeur et la rapidité des mutations actuelles conduisent à une mise en cause fondamentale de nos institutions, de nos valeurs, de nos modes d'organisation comme de nos modes de pensées. Ce n'est pas seulement un phénomène français : l'universelle rébellion de la jeunesse en porte témoignage. Je ne dis pas qu'elle apporte une solution, mais elle est un symptôme dont il faut partir. Marx a été le fondateur, il y a un siècle, de la prospective. La prospective c'est, en effet, une méthodologie de l'initiative historique : elle nous apprend à dégager des contradictions du présent les possibles futurs capables de les surmonter. C'est par là qu'elle peut être une technique de préparation des décisions et des projets. La prospective se distingue de l'utopie essentiellement par son caractère opératoire. Une telle prospective, à la fois parce que nous vivons dans un monde d'interdépendance planétaire, et d'autre part parce qu'il s'agit de penser les fins de l'homme, ne peut être que globale. Elle ne peut accepter comme critère suprême la pure efficacité sectorielle. L'étude des projets humains, de leur condition et de leurs contraintes, de l'ensemble des limites que leur impose le système des relations physiques et sociales exige une approche « systémique ». Cette conception est radicalement opposée à la conception courante, positiviste et scientiste, de la futurologie. Pourquoi la prospective a-t-elle si souvent versé dans ce positivisme? Le malheur de la prospective est d'être pratiquée trop près des centres de décision, qu'il s'agisse des entreprises, des organismes de planification, d'aménagement du territoire ou des services de défense nationale. Elle a ainsi été profondément marquée dans son objet et dans sa méthode. D'abord dans son objet. Elle tend à se réduire à la prévision technologique. Un livre fait à la demande de l'O.C.D.E. est significatif : les neuf dixièmes de l'ouvrage, sinon les dix dixièmes, sont consacrés à la prévision technologique. Réduire la recherche sur le futur à la prévision technologique constitue une double perversion. Le problème de la prospective ce n'est pas : qu'est-ce qui va se passer? Ce qui suppose que l'on fait abstraction de toute intervention humaine. Mais au contraire : quelles seront les conséquences qui vont découler de telle ou telle décision? Deuxièmement, la prospective ne peut pas se limiter à la technologie. Les ouvrages de futurologie et de science-fiction nous donnent beaucoup de détails sur les moyens techniques dont nous disposerons dans vingt ou trente ans, parfois dans cent ans, pour satisfaire nos besoins et nos désirs. Mais on se pose rarement la question de savoir quels seront nos besoins et quels seront nos désirs à cette étape nouvelle du développement humain. Tout se passe comme si l'on acceptait le postulat implicite d'une nature humaine immuable. Ce n'est pas du tout la faiblesse des hommes qui est en cause, c'est le problème qui leur est posé : la prospective a-t-elle pour objet d'être un moyen d'assurer l'efficacité maximale d'une entreprise ou d'une planification, ou bien doit-elle éclairer l'avenir en réfléchissant sur nos besoins et sur nos fins ? Sur le plan de la théorie de la connaissance cela se traduit par une conception positiviste de la futurologie. La méthode d'extrapolation peut se présenter sous diverses formes : il y a d'abord une simple extrapolation des courbes de l'économétrie ou d'une série chronologique. L'on peut rechercher un précédent ou une analogie. On peut le faire d'une manière un peu plus raffinée avec ce que la Rand Corporation a appelé la méthode Delphi, qui consiste à demander à un certain nombre de savants et de chercheurs une liste des inventions qui leur paraissent probables dans les années à venir, à les situer entre deux dates extrêmes et à confronter les réponses ou leurs auteurs pour arriver à une évaluation moyenne. On peut déguiser aussi cette extrapolation en méthode de modélisation, en théorie des jeux, appliquée surtout à la prévision militaire. L'on établit d'avance une stratégie, c'est-à-dire un ensemble de décisions conditionnelles en fonction de diverses situations qui peuvent se présenter et de leurs ramifications possibles. Le postulat commun à ces diverses méthodes d'extrapolation, c'est de supposer que l'on a affaire à un monde relativement stable, et que l'on peut raisonner à l'intérieur du système existant comme s'il ressemblait plus ou moins à une nature. C'est l'essence même du positivisme, appliquant aux sciences humaines les méthodes des sciences de la nature du XIXe siècle, partant, comme le disait significativement Auguste Comte, du « dogme de l'invariabilité des lois naturelles ». Le postulat de ces méthodes, c'est de tenir pour un savoir achevé ce qui n'est qu'un bilan provisoire de la connaissance. C'est ce qui conduit les futurologues à se maintenir toujours au niveau de la simple déduction à partir du présent ou de l'extrapolation à partir du présent. Un exemple typique est celui des prévisions sur l'épuisement des ressources énergétiques de la terre, toujours démenties par l'expérience parce que l'on considère l'inventaire comme plus ou moins achevé. Les évaluations pessimistes antérieures ont été remises en cause par la découverte de nouveaux gisements ou d'autres possibilités. Cela est pire encore lorsqu'il s'agit des hommes et que l'on se contente d'extrapoler à partir des courbes du passé. Par exemple, certains de ce futurologues ont le plus sérieusement du monde calculé le moment où l'expansion démographique réduirait les hommes à l'état de sardines dans leurs boîtes, ne disposant plus que d'un demi-mètre carré par personne. Un autre, avec non moins de précision, a déterminé le moment (exactement l'année 2070) où la production atteindra le poids total de la terre. Un autre a calculé le moment où les automobiles recouvriront la surface du sol atteignant ainsi une immobilité absolue. Une prospective à l'échelle des exigences de l'homme de notre temps doit au contraire être scientifique, mais aussi utopique et prophétique. La dimension prophétique demeure indispensable dans toute prospective réelle qui implique non pas la simple extrapolation du passé et du présent mais le *moment de la rupture,* le moment de la distanciation à l'égard du modèle actuel de développement, le moment de la conscience, le moment de la transcendance de l'homme par rapport à sa propre histoire et qui s'interdit, lorsqu'il s'agit de l'homme et de son histoire, ces méthodes de simple extrapolation. Les besoins nouveaux ne peuvent certes pas être définis à la manière des utopistes, comme le faisait Fourier par exemple, dont l'œuvre est d'ailleurs infiniment riche sur ce point mais viciée en son principe même par son caractère subjectif. Les besoins de l'avenir, chez Fourier, sont une projection faite à partir de nos privations ou de nos frustrations actuelles. Tout comme la dimension prophétique, la dimension utopique est un moment nécessaire d'une véritable prospective. Le moment de la conception du possible, qui succède à ce moment de la rupture, nous permet de nous distancier par rapport aux modes de développement actuels.

Quel peut être l'objet de la prospective? Son

objet ne peut être une simple prospective des moyens. Ce n'est pas une mince ambition que de donner pour objet à la prospective d'aider à élaborer, en pleine crise de civilisation, un projet de civilisation. Car cela pose fondamentalement le problème des fins. Comment se pose-t-il aujourd'hui? Aussi longtemps que les hommes ont vécu dans la pénurie et que leur économie était dominée par la rareté des ressources et des produits, les fins de leur travail et même de leur vie étaient en quelque sorte inscrites en creux ou en pointillé par la nécessité de pourvoir aux besoins élémentaires; produire, produire, encore produire, était une nécessité vitale et par conséquent une fin légitime. Mais à partir du moment où il devient techniquement possible, en principe, et au moins pour les pays dits développés, de satisfaire les besoins fondamentaux, le problème des fins de notre travail et de notre activité se pose.

Le point de départ de la recherche prospective sur les fins pourrait être de définir l'interaction ou plutôt l'action en retour du développement technique et des valeurs. En première approximation nous pouvons utiliser le schéma suivant : le développement technologique engendre de nouveaux besoins; les nouveaux besoins nous permettent de concevoir de nouvelles valeurs; ces valeurs, à leur tour, commandent la planification à long terme et cette planification à long terme conditionne pour une large part le développement technologique. Si bien que le cercle est fermé. Dans un tel schéma, chaque moment est à la fois conditionné et condi-

tionnant à l'égard de tous les autres. Marquons les
deux moments sur lesquels nous avons insisté tout à
l'heure ; le moment prophétique, celui de la rupture,
et le moment utopique, celui de la conception d'un
possible différent. Si nous passons du schéma à
l'analyse concrète : quels sont les besoins engendrés
à notre époque par la grande mutation scientifique
et technique des années 50 et 60, celle de l'énergie
atomique et de la cybernétique ? un phénomène
caractéristique se produit au niveau de la population : la composition de la population active est en
train de changer profondément, et ce changement
s'accélère.

Si nous considérons l'ensemble des éléments
nouveaux : augmentation de la part du travail
intellectuel dans le travail productif, changement de
la qualification professionnelle caractérisé par un
rôle croissant de la culture générale, décentralisation des initiatives de la gestion, tout se passe
comme si la nouvelle mutation scientifique et
technique conduisait à des conséquences inverses de
la première révolution industrielle dont Marx disait
qu'elle avait amené une « inversion des rapports du
sujet et de l'objet », soumettant le sujet à l'objet,
l'homme à la machine. La nouvelle mutation, au
contraire, crée les conditions d'une véritable explosion de subjectivité. Voilà un besoin nouveau dont
il est nécessaire de tenir compte. Ainsi peut s'ébaucher, à partir d'une réflexion sur le développement
des techniques et de ses conséquences contradic-
toires sur le développement humain, une anthropologie prospective qui ne serait plus fondée sur le

concept métaphysique de la nature humaine, mais sur un concept historique de l'homme comme être se créant lui-même et sans limites.

C'est de ce point de vue que l'on doit aborder les problèmes de la prospective appliquée, c'est-à-dire ceux du marketing et de la planification. Au temps de la pénurie, la production s'efforçait de répondre à la demande de la consommation. Or, à partir de la deuxième moitié du XXe siècle, dans les pays les plus développés, l'on assiste à ce que l'on a pu appeler une « inversion » de ce rapport. La production, pour s'écouler, crée des besoins, fût-ce des besoins artificiels. Je voudrais n'en donner que deux exemples et que j'emprunterai à la France. A l'heure actuelle, en France, les investissements dans les machines à sous et les « flippers » sont très supérieurs aux budgets des maisons de la culture. Les investissements dans la fabrication et dans la publicité des alcools et des tabacs sont très supérieurs au budget de la santé publique. Nous avons là quelques exemples significatifs de la société dite de consommation. Dans une telle perspective, les besoins privés sont en effet nécessairement privilégiés par rapport aux besoins sociaux, car les biens répondant aux premiers peuvent être vendus à des individus alors que les services collectifs s'y prêtent moins. Un parc, un musée, une route, une maison de la culture ou une université sont moins rentables. C'est tout à fait saisissant aux États-Unis. On en a souligné maintes fois le contraste entre l'opulence de la satisfaction des besoins individuels et la misère des besoins sociaux. C'est là un signe certain de décadence et de désintégration d'une société. Dans la Grèce hellénistique et dans le Bas-Empire romain, la richesse des demeures privées contrastait avec la décrépitude des temples. Du point de vue prospectif, le problème majeur du marketing n'est pas de créer, par la publicité, ou par d'autres formes de promotion des ventes et de conditionnement du consommateur, des besoins artificiels et un marché plus vaste des gadgets ou des chromes sur les autos... ou des diverses drogues, depuis la télévision jusqu'au L.S.D. La prospective des besoins nouveaux, à l'époque de notre grande mutation, est celle de l'éducation, du voyage, des transports et d'un habitat de type nouveau. Certes, il s'agit là d'une conception du marketing qui s'accommode mal du système capitaliste fondé essentiellement · sur la manipulation du consommateur. Il s'agit d'une conception fondée sur la promotion des besoins en fonction des conditions nouvelles de la vie. Or, même à l'encontre des aspirations des grands manipulateurs de l'opinion, il y a néanmoins des tendances qui s'affirment. Aux États-Unis, alors que les marchés de l'électroménager arrivent à saturation, la vente du livre et du disque prend un nouvel essor depuis les quatre dernières années. Demain peut-être, la vidéo-cassette ou le film miniaturisé à piste multiple surclasseront le théâtre, le concert et même le film et la TV. En ce qui concerne les transports, les seuils déjà atteints du point de vue de l'embouteillage et de la pollution malgré les efforts consacrés à produire et à vendre le maximum de voitures individuelles marchant avec les carburants actuels, les signes d'avertissement sont très nets lorsqu'il faut arrêter la circulation à Los Angeles, des nourrissons mourant en raison de la saturation de l'air par les vapeurs d'essence. Pour la construction, quelle que soit la variante prospective que l'on adopte pour l'urbanisation future, le problème majeur, pour l'instant, semble être de laisser le maximum de souplesse à l'architecture pour répondre à des besoins en incessantes métamorphoses. Il serait absurde de construire des palais aussi durables que ceux de la Renaissance, capables d'affronter les siècles. Nous pourrions multiplier les exemples y compris en ce qui concerne l'esthétique personnelle où un champ illimité semble ouvert à des techniques psychosomatiques de transformation de l'apparence physique et aussi de la relaxation, à la réalisation d'équilibres internes par une psychotechnique. Je n'ai choisi que des exemples sporadiques et, le plus souvent, des exemples limites pour montrer ce que peut être, dans les perspectives définies par la prospective fondamentale, une prospective appliquée au marketing. Mais pour que cela ne reste pas subjectif, quelles sont les modalités de l'élaboration et de la diffusion de la prospective? Une prospective à l'échelle des problèmes de notre temps n'a pas seulement pour tâche d'opérer un nouveau choix des fins puisque le système capitaliste a ce triste privilège d'être dans l'histoire le seul système social qui ne soit fondé sur aucun projet conscient de civilisation. La deuxième tâche de la prospective

175

c'est, par les méthodes mêmes de son élaboration et de sa diffusion, d'aider à surmonter le dualisme caractéristique de toutes nos sociétés depuis la fin du néolithique et la naissance des civilisations, à commencer par le dualisme entre dirigeants et dirigés. Le problème essentiel, à ce niveau, est de faire en sorte que l'avenir de tous soit l'œuvre de tous et non de quelques-uns. C'est un spectacle assez singulier que d'assister à un congrès de prospective où quelques messieurs venant d'instituts privés, d'organismes de défense nationale, d'aménagement du territoire et de la planification, quelques universitaires, octroient à l'humanité un avenir. Nous avons là, peut-être, la forme la plus redoutable de la technocratie. Prenons un exemple : celui des conséquences politiques de la généralisation de l'emploi politique des ordinateurs. Politique et policier. Il devient techniquement possible, du point de vue fiscal, comme du point de vue policier, d'établir un fichier électronique qui non seulement enregistre tous les faits de la vie publique et privée de chacun, mais encore de traiter cette information de telle manière que chaque individu soit en quelque sorte transparent devant un État inquisiteur. Les services américains ont déjà sur ce point une certaine avance technologique. Vous pouvez, en l'espace de quatre ou cinq secondes, avoir le fichier de tel dirigeant syndical de Tanzanie, comme vous pouvez savoir si une place est libre entre Sidney et Melbourne avec le terminal d'ordinateur à l'aérodrome. L'ordinateur peut permettre de réaliser un État policier parfait très au delà des rêves d'Hitler, de Staline ou de Mussolini, alors que, au même moment, il devient techniquement possible par l'ordinateur et par les mass media, non seulement de mettre à la disposition de chaque citoyen une information objective et complète, mais d'enregistrer en retour et à chaque moment ses besoins et ses options. Il est possible de réaliser une démocratie directe reproduisant, à une étape nouvelle et avec des moyens techniques inédits, cette démocratie directe de l'agora d'Athènes dont Rousseau avait la nostalgie, mais qu'il croyait irréalisable dans des grands États. Bien entendu, ce ne sont là que des exemples limites, destinés à montrer la nécessité d'une prospective critique nous présentant des scénarios contrastés afin d'écarter l'idée qu'un seul avenir est possible et qu'il nous attend déjà, et concevoir une prospective qui ne soit pas l'œuvre de quelques technocrates octroyant un avenir à l'humanité mais l'affaire d'un peuple entier.

En ce qui concerne l'élaboration prospective, si nous voulons vraiment ne pas nous en tenir à un utilitarisme étroit dans sa visée et positiviste dans sa méthode, si au contraire nous pensons à long terme et en fonction de la promotion de l'homme et non pas de sa manipulation, il importe que les centres d'études prospectives ne soient pas trop près des centres de décision, qu'ils ne soient pas directement liés aux services de marketing d'une entreprise ou même d'une branche d'industrie, à une commission du plan ou à un état-major. Même du point de vue de l'efficacité économique et politique, le long terme est de plus en plus rentable. L'exemple des

177

rapports avec le tiers monde est exceptionnellement révélateur : seule une prospective engagée dans un véritable dialogue des civilisations permettrait de réduire à la fois l'écart entre le tiers monde et les pays développés (alors qu'un néo-colonialisme à courte vue accentue cet écart) et d'assurer une expansion sans précédent aux économies des pays développés. Mais cela supposerait, en ce domaine comme en bien d'autres, que le culturel précède l'économique, c'est-à-dire que la réflexion sur les fins précède la réflexion sur les moyens et l'organisation des moyens. Ce n'est qu'un exemple entre mille d'une politique et d'une économie à repenser à partir de ses postulats fondamentaux : partir de centres autonomes de prospective qui sont à créer et qui permettraient de déployer une conception de l'invention du futur à la disposition des entreprises comme des États.

En ce qui concerne la diffusion, le problème essentiel est que l'avenir de tous soit l'œuvre de tous. Les mass media permettent d'atteindre cet objectif. La télévision, par exemple, peut aider des milliers de gens à prendre conscience de la nécessité de construire ensemble l'avenir non pas à partir d'idéologies différentes mais des problèmes communs qui nous sont posés par les mutations de la deuxième moitié du XXe siècle. Comment pourrait-on concevoir des émissions tendant à associer tout un peuple à l'invention du futur? Imaginons ce que pourrait être une émission de télévision qui aurait pour objet d'inventer le futur, c'est-à-dire d'aider des millions d'hommes et de femmes non seulement à prendre conscience de la nécessité de construire ensemble l'avenir et de le concevoir sous leur propre responsabilité, mais encore de faire participer effectivement à la prise de décision des millions de gens. Sans doute, il conviendrait d'abord de dégager, dans les découvertes d'aujourd'hui, ce qui est germinal, ce qui constitue un fragment de l'avenir déjà présent parmi nous. Il s'agirait ensuite de montrer que cet avenir n'est pas un scénario déjà écrit, mais qu'il dépend au contraire de la responsabilité de chacun et des décisions de tous, que cette maîtrise nouvelle de l'homme sur la nature et sur l'histoire devienne une force maléfique, répressive et régressive, ou au contraire permette de prolonger l'épopée humaine commencée il y a trois millions d'années dans le sens d'un plein épanouissement de la personne. De mobiliser contre ceux qui, incapables de concevoir l'avenir en germe, entrent dans l'avenir à reculons, ceux qui, ouverts à ce qui est radicalement nouveau dans notre temps, cherchent à créer des structures nouvelles répondant aux exigences de ce qui est en train de naître et de se développer. Sans aucun doute il s'agit là d'une entreprise d'une ampleur exceptionnelle, car de telles émissions, si nous voulons les comparer à ce qui se fait, devraient non seulement allier la rigueur scientifique à la plus haute qualité artistique, mais encore être accessibles à tous et soulever l'enthousiasme de tous. Chacune devrait être à la fois une synthèse scientifique et, comme on dit à la télévision, une grande dramatique populaire, faisant vivre à chacun et préparer les drames ou les

179

espérances de l'an 2000. Point de départ : une réalisation de pointe déjà existante, un laboratoire de biologie où se prépare la manipulation du code génétique de l'homme, une usine entièrement cybernétisée, un ordinateur, un ensemble architectural ou un projet d'urbanisme sur la ville de demain, une œuvre d'art, ou n'importe quelle découverte scientifique porteuse d'avenir. Dans chaque cas, c'est le privilège de la caméra de nous familiariser avec cette réalité nouvelle, son fonctionnement, son sens, mais aussi ses répercussions humaines dans le travail comme dans la vie personnelle de ceux qui l'ont conçue ou qui la manipulent avec les drames, les problèmes, les promesses, que cela comporte dès aujourd'hui. Un deuxième moment serait celui de l'extrapolation à la fois quantitative (c'est-à-dire lorsque cette œuvre de pointe sera généralisée et d'un emploi global dans toute la société), et qualitative (c'est-à-dire prolongement et passages à la limite). De même que Cuvier se vantait de reconstituer un animal préhistorique à partir d'un fragment, il s'agirait d'élaborer une sorte d'archéologie du futur. Mais, pour ne pas donner l'impression fausse d'un destin, d'un avenir inéluctable que nous pourrions seulement prévoir dans l'angoisse, mais d'un futur comportant plusieurs possibles que nous avons à inventer et à réaliser, nous devrions avoir à la fois des scénarios interrompus et des scénarios contrastés. Interrompus au moment où la décision va être prise : on arrête, et c'est l'ensemble des auditeurs qui sont invités à élaborer cette décision, la suite de l'émission ne se faisant qu'un mois après et des scénarios contrastés montrant, à partir des choix qui ont été faits par les spectateurs eux-mêmes, les différentes possibilités. Par exemple, est-ce que l'usine cybernétisée nous conduit à une aliénation croissante de l'homme comme l'imaginaient déjà, avant la cybernétique d'ailleurs, Huxley ou Orwell? Est-ce qu'il n'y aura plus de joies que pour des robots drogués? ou bien, au contraire, est-ce que, selon l'utopie heureuse de William Morris, elle libérera le travail, le loisir, la culture? Est-ce qu'elle permettra de faire de chaque homme un créateur, un poète? Quelles sont les décisions qui permettent de choisir entre ces possibles? entre ces scénarios contrastés? Que deviendra la pensée, si on choisit l'ordinateur comme point de départ, lorsque chacun aura, à chaque instant, la totalité du savoir humain à sa disposition par ce transistor miniaturisé qui le reliera aux ordinateurs géants pour dialoguer avec eux? L'ordinateur permettra-t-il de réaliser un système politique et policier de type totalitaire ou, au contraire, la première démocratie directe depuis la cité grecque? A partir de quelle décision prise aujourd'hui? Nous pourrions multiplier ces problèmes. Que deviendra la ville, que deviendra l'éducation? Le troisième moment de l'émission, après ces scénarios interrompus et ces scénarios contrastés, serait évidemment celui de la réflexion sur les images, qui ne comporterait pas seulement un débat entre les « spécialistes » sur chaque problème, ce qui est évidemment indispensable, mais un débat n'ayant pas un caractère académique mais opérationnel, visant à suggérer les

181

modes d'intervention capables de réaliser celui des possibles, permettant de faire de chaque homme un centre de responsabilités, d'initiatives et de création. Bien entendu, ce n'est là qu'une évocation d'un possible, mais si nous voulons que la prospective ne reste pas ce qu'elle est aujourd'hui, c'est-à-dire l'affaire de quelques technocrates, nous avons certainement besoin de ce feed back de l'émission par un système qui ne soit pas la duperie de la « correspondance » des auditeurs, ou des questions téléphonées qui permettent tous les triages et tous les truquages, mais un système de décentralisation de la création télévisée grâce à la télévision par câbles et à la multiplication des points d'accueil autour de caméras permettant à des milliers de gens de participer à part entière à l'élaboration des émissions et à l'invention du futur, en associant progressivement aux émissions ceux qui auraient apporté les critiques ou les suggestions les plus efficientes. Il s'agit ici de tout autre chose que de télévision : c'est un problème politique fondamental. C'est pourquoi de tels projets rallieront très lentement le consentement des gens au pouvoir. C'est un système nouveau de télévision mais qui a pour conséquence et pour condition de ne pas se fonder sur la passivité du téléspectateur mais au contraire sur son activité et sa participation créatrices. Il s'agit là d'une pédagogie de la révolution autant que d'une révolution de la pédagogie. Pourtant, c'est ainsi seulement que la prospective pourra sortir d'un cercle étroit de prévisionnistes liés à des centres de décision très proches, et qu'elle pourra devenir ce qui fait sa valeur et sa grandeur : la construction de l'avenir à l'échelle d'un peuple non pas seulement pour le peuple mais par le peuple.

LA POLITIQUE

La politique est l'art d'empêcher les gens de se mêler de ce qui les regarde.

Paul VALÉRY.

La politique c'est l'histoire en train de se faire.

Elle ne se réduit donc pas à un aspect de la vie sociale : la technique de la prise du pouvoir ou de la gestion de l'État.

Et surtout elle ne se réduit pas à l'organisation des moyens : sa tâche première et fondamentale est de définir les fins de la société globale, puis d'inventer les méthodes propres à les réaliser.

Le problème politique ne se pose que dans des sociétés désacralisées où les fins de l'homme et celles de la société ne leurs sont plus assignées par une religion. C'est pourquoi les périodes historiques de réflexion les plus intenses sur la politique furent, dans le monde occidental, celle de la Grèce antique, lors de la désagrégation des monarchies traditionnelles, avec l'œuvre des sophistes, de Platon puis d'Aristote, et celle de la Renaissance, après les premiers craquements de la chrétienté, à partir de Machiavel, et plus encore, au crépuscule des monarchies de droit divin, avec Hobbes et Locke, avec Montesquieu, Rousseau et la Révolution française, puis avec Kant, Fichte et Hegel des perspectives de nouvelles révolutions, socialistes désormais, depuis Marx.

Faisant la relève des religions et de leurs théocraties, la politique est la prise en charge par l'homme de l'ensemble des rapports humains. L'illusion d'un plan providentiel qui aurait fixé à l'avance un but aux sociétés étant dissipée, les hommes prennent en main leur propre destin. Ils ont désormais la certitude que la création est inachevée et qu'ils ont la charge de la poursuivre.

L'engagement politique n'est donc pas un luxe, ni même un choix que je pourrais faire ou ne pas faire : à moins de faire sécession à l'égard des autres, de m'enfoncer dans un individualisme qui me conduit à l'égoïsme et à l'impuissance, je suis « embarqué » : la politique, que je le veuille ou non, est une dimension de ma vie. Il n'y a aucun sens à dire : je ne fais pas de politique. Je suis pris dans un réseau social qui conditionne mes pensées, mes actions, mes sentiments, tous les aspects de ma vie présente : mon travail comme mes loisirs, ma famille comme mon logement, toutes mes possibilités de vivre d'une vie humaine ou inhumaine. Ce courant de vie sociale, qui vient de plus loin que moi, qui va plus loin que moi, me porte et me submerge. Si je crois m'abstenir, cela signifie que je me laisse emporter et que je contribue à laisser emporter les autres ; ma prétendue indifférence équivaut à un choix précis, celui du maintien du cours régnant, avec son ordre ou ses désordres.

C'est donc une tâche irrécusable d'essayer de prendre conscience des poussées de l'histoire, de les capter, de les juger pour décider soit de les seconder, soit de leur opposer résistance et, dans les deux cas, de coordonner mes efforts avec ceux des autres pour rendre efficace notre coopération ou notre résistance.

Il est vain et malfaisant de tenter de se décharger de cette responsabilité inéluctable sur une quelconque instance extérieure. Personne ne peut décider à notre place. Un choix est à faire, avec un inévitable risque, un choix personnel, et aucune impersonnelle « science » ne peut prendre le relais des anciennes « révélations ».

La tentative d'Auguste Comte est significative : la prétention de trouver dans « la science » les fins que donnaient autrefois les religions est nécessairement conservatrice. Car un avenir déterminé « scientifiquement » est, par définition, lié au présent et au passé par des chaînes causales. Il est extrapolation, plus ou moins subtile, de ce présent et de ce passé, comme en témoigne aujourd'hui la « futurologie » positiviste de l'école américaine (notamment d'Herman Kahn).

La décision d'éliminer l'utopie, c'est-à-dire tout projet d'avenir en rupture avec le présent et le passé, conduit inévitablement au conservatisme. Soit sous la forme de la prétendue « science politique » ou de la « politologie », avec leurs postulats cachés qui les condamnent, sous prétexte de science, à une apologétique masquée de l'ordre établi, soit sous la forme d'un « socialisme scienti-

187

fique » mal compris (c'est-à-dire prétendant être
« scientifique » non seulement dans ses moyens —
ce qui est parfaitement légitime — mais dans ses
fins). Car dire qu'une politique est « scientifique »
c'est postuler que l'avenir peut se déduire de quelque
manière de l'ordre présent : logiquement, causale-
ment ou dialectiquement (par une négation réglée
de l'ordre présent). Dans toutes ces variantes l'on
élimine le moment de la rupture, de la transcendance, c'est-à-dire le moment spécifiquement
humain de la création historique.

L'essentiel est de ne pas confondre l'utopie
abstraite (c'est-à-dire détachée des conditions de sa
réalisation possible, et comme telle, irréalisable,
illusoire) et l'utopie concrète, c'est-à-dire un projet
qualitativement nouveau, l'anticipation créatrice
d'un modèle d'avenir capable de surmonter les
contradictions présentes, et à partir duquel l'on va
susciter les moyens de le réaliser. (C'est à une
anticipation normative de ce genre que l'on a
procédé pour le projet « Apollo ». Le but étant
fixé : aller sur la lune, l'on dégage les problèmes à
résoudre pour l'atteindre et l'on met en œuvre les
moyens pour y parvenir.) Dans cette voie notre
action d'aujourd'hui est déterminée par le projet
d'avenir au lieu que l'image de l'avenir soit déduite
ou extrapolée à partir des conditions déjà existantes
aujourd'hui.

Si le premier devoir que nous impose la politique
est cet effort créateur, imaginatif, pour concevoir
les fins globales de la société et pour les concevoir
autrement qu'à l'image et à la ressemblance du

passé et du présent en se contentant de rechercher des moyens pour satisfaire demain nos besoins d'aujourd'hui, le deuxième devoir qu'elle nous impose est de faire émerger ce choix des fins nouvelles, ces besoins nouveaux de l'ensemble des participants d'une société.

Le problème politique fondamental, à notre époque où nous disposons de *moyens* de plus en plus puissants mais pas de conscience des *fins* permettant de les mettre en œuvre au service non de la destruction ou de l'aliénation de l'homme mais de son épanouissement, c'est d'inverser ce courant cinq fois millénaire de l'histoire : ne plus prétendre apporter d'en haut et imposer d'en haut les fins de la société et le sens de la vie, mais faire émerger de la base ces finalités et ce sens.

Nous l'avions déjà souligné dans *L'Alternative,* depuis la fin du néolithique, depuis les premières formes de division du travail et d'organisation politique, toutes les sociétés ont été dualistes, c'est-à-dire divisées en dirigeants et dirigés, en « sommet » et en « base ».

Le pouvoir de commander a pu avoir de multiples fondements :

— *Un fondement économique :* l'appropriation des moyens de production, qu'il s'agisse de la possession d'esclaves, de la propriété terrienne, de la propriété ou de la gestion du capital;

— *Un fondement politique :* la maîtrise des moyens de coercition, militaires (conquérants et vaincus) ou policiers (la loi et l'ordre imposés « d'en haut » à la base, à l'intérieur d'une société);

189

— *Un fondement culturel :* le monopole d'un « savoir » au service des classes dominantes, qu'il s'agisse de la prévision du cours des étoiles ou des crues des fleuves dans les premières sociétés agricoles, du monopole de l'interprétation des traditions sacrées ou des révélations des dieux dans les théocraties, ou, plus récemment, des privilèges de la connaissance garantissant la domination d'une « classe politique », d'une hiérarchie cléricale, d'une technocratie ou d'une bureaucratie.

La base c'est cette partie de la population d'une société qui est privée à la fois de l'avoir, du pouvoir et du savoir.

Au niveau de l'économie, elle crée, par son travail, les richesses, mais ne décide ni de l'orientation à donner à la production, ni de l'organisation du travail, ni de la répartition de ses fruits.

Du point de vue politique, même lorsqu'elle n'est pas pur objet aux mains d'un despote, même lorsqu'elle est appelée périodiquement à ratifier un programme préfabriqué par les experts au sommet ou à élire ses maîtres sur des listes élaborées « d'en haut », elle ne peut participer aux décisions politiques que par délégation (à un élu ou à un dirigeant de parti), par procuration, par « aliénation » de son pouvoir propre, selon l'expression de Rousseau dans *Le Contrat social*.

Enfin, sur le plan de la culture, quel que soit le degré de démocratie dans son accès à l'école ou à

190

l'Université (qui demeure l'apanage d'une minorité), l'idéologie qui inspire la culture ainsi octroyée est celle qui légitime l'ordre existant. Comme le notait Marx de manière incisive : « Les idées dominantes sont les idées de la classe dominante. »

Le fait essentiel n'est pas que la base *est* pauvre, sans pouvoir politique réel, sans culture, c'est que les maîtres l'ont dépouillée de l'avoir, du pouvoir, et du savoir, par le jeu des exploitations, des oppressions, des dominations.

Cela nous ramène à ce qui est fondamental dans la conception de « la base » : l'espérance qui naît en son sein n'est pas celle d'une simple révolte se réduisant à un retournement par lequel une « masse » envieuse s'emparerait des richesses des possédants, ou prendrait le pouvoir de telle sorte que le despotisme ne soit point aboli mais change de mains ; ou aspirerait à une anarchie destructrice de toute organisation ; ce n'est pas, enfin, négation de la culture, ni même « contre-culture » rejetant les acquis de millénaires d'hominisation ou d'humanisation de l'homme.

La « spontanéité » de la base, si redoutée des hiérarchies instituées et des « appareils » n'est ni négative ni aveugle.

Elle n'est pas seulement négative, car elle ne conçoit pas l'avenir sous la forme de la fin d'un malheur. Ce sont au contraire les forces dominantes qui ne peuvent concevoir le futur que sous la forme de l'ordre présent dont on retrancherait seulement les aspects négatifs. Il est remarquable que les intellectuels du XIXe et du XXe siècle n'ont pu concevoir l'avenir qu'à travers cette image de la « fin » de quelque chose : la fin de l'ignorance, ou la fin de l'injustice, la « fin de Satan », dira Victor Hugo. Des intellectuels du XXe siècle, reprenant, en les rafraîchissant à peine, les spéculations de Feuerbach, parlent de « la mort de Dieu », d'autres encore de « la mort de l'homme ».

L'idéologie des classes dominantes, inspirée par la justification de l'ordre existant, ne peut en effet dépasser cet ordre, mais tout au plus l'émonder ou l'épurer de ce qui le défigure, et non pas imaginer un ordre radicalement nouveau où l'avenir serait non la fin de quelque survivance mais un commencement, radicalement neuf, qui remettrait en cause l'existence de l'ordre ancien.

Les idéologies sont ainsi construites par les maîtres, comme justification de ce qui est. En revanche, l'esprit de prophétie naît à la base, comme contestation de ce qui est et comme invention d'un avenir réel, création et non extrapolation du passé et du présent. Idéologie en haut. Prophétie à la base.

Ce qui caractérise la « base » c'est qu'elle a été dépouillée d'un avenir qui lui soit propre, c'est que le pouvoir « d'en haut » ne lui permet pas d'être créatrice de sa propre histoire, mais la maintient au contraire dans la situation d'objet, de moyen pour réaliser l'histoire de quelqu'un d'autre.

Les maîtres, en toute société, élaborent une idéologie, c'est-à-dire un ensemble de justification de leur ordre et de leurs privilèges, que cette justification soit mythique, religieuse ou « rationnelle ». Chaque classe dominante a toujours appelé « rationnel » ce qui était conforme à ses intérêts de classe. L'exemple le plus typique est celui de la Révolution française. Le préambule de la première Constitution proclamait : « tous les hommes naissent libres et égaux en droit », mais cette même Constitution instituait un système censitaire excluant du droit de vote, comme « citoyens passifs », l'immense majorité du peuple français : celle qui n'avait pas de propriété, parce que la « raison » établit, comme l'avaient montré d'Holbach dans son Éthocratie et Diderot dans son Encyclopédie (article REPRÉSENTANT) qu'un homme ne peut prendre part à la direction des affaires publiques que s'il est attaché, par sa propriété, à cette gestion. En conséquence, comme l'écrit Diderot, « le propriétaire seul est citoyen ». La nouvelle « base » est ainsi définie, au nom de la « raison », comme la masse « passive » des sans-propriété.

Un ordre radicalement neuf, inaugurant un avenir inédit, ne peut se concevoir à partir des concepts, de la logique ou de la rationalité régnante. L'imagination poétique et prophétique, l'imagination constituante, qui est la transcendance de la raison, prend alors nécessairement la forme de l'utopie, qu'elle soit messianique ou prométhéenne dans ses motivations, c'est-à-dire qu'elle ait conscience d'être accomplissement des pouvoirs de l'homme ou des promesses d'un Dieu.

Aux riches et aux puissants appartient la « sagesse », à la base appartient l'espérance. Elle ne se déduit d'aucun « logos ». Et cela par son essence même, car elle est cette « folie » qui rejette, avec le « logos » justificateur de l'ordre établi, les formes existantes de la propriété et du pouvoir.

Il n'est pas moins significatif que l'espérance de Marx se fonde, au départ, sur ce dépouillement créateur. Lorsqu'il pose, à la fin de sa *Contribution à la critique de la philosophie du droit de Hegel*, la question : où donc est la possibilité réelle de l'émancipation? il répond : dans « une sphère qui ait un caractère universel par ses souffrances universelles..., une sphère qui ne puisse plus s'en rapporter à un titre historique mais à un titre humain..., une sphère enfin qui ne puisse s'émanciper de toutes les autres sphères de la société sans, du même coup, les émanciper toutes ; qui soit, en un mot, la perte complète de l'homme, et ne puisse donc se reconquérir elle-même que par le regain complet de l'homme. La décomposition de la société en tant que classe particulière, c'est le prolétariat... De même que la philosophie trouve dans le prolétariat ses armes matérielles, le prolétariat trouve dans la philosophie ses armes spirituelles ».

194

Même lorsqu'elle ne s'exprime plus dans ce langage messianique, la confiance de Marx dans le prolétariat comme porteur de l'espérance humaine ne cessera de s'affirmer, dans le *Manifeste communiste* comme dans *Le Capital*. « L'émancipation des travailleurs sera l'œuvre des travailleurs eux-mêmes. »

La visée première de Marx et d'Engels, dans leur définition du socialisme, c'est un système économique, social et politique fondé sur les initiatives de la base participant à part entière aux décisions concernant l'avenir de tous.

Même si, aujourd'hui, le patronat comme les bureaucrates du socialisme se rejoignent pour traiter l'autogestion d'utopie malfaisante et de bavardage, c'est chez Marx, puis chez Lénine, que nous en trouvons l'analyse fondamentale et les perspectives. Et cela sans confusion possible avec l'anarchisme proudhonien. Sur le plan économique, invoquant l'exemple des coopératives de production, Marx souligne qu'il ne s'agit pas de mettre en cause le principe de l'organisation et de la direction, mais le mode de dévolution du pouvoir et ses limites : « Un chef d'orchestre, écrit-il dans *Le Capital* [1], n'a pas besoin d'être le propriétaire des instruments ; le salaire des autres musiciens ne le concerne en rien et n'a rien à voir avec ses fonctions de dirigeant. »

Mais l'autogestion, c'est-à-dire la gestion par la base, ne se réduit nullement à un système de

_____

1. T. VII. p 50 à 52.

coopératives : c'est une conception de la société globale, dans laquelle chaque individu devient un centre d'initiative, de création et de responsabilité à tous les niveaux : celui de l'économie, de la politique, de la culture, une conception qui ne soit ni individualiste ni totalitaire, mais fondée, pour toutes les activités sociales, sur des communautés de base.

Sur le plan politique la Commune de Paris en a donné l'exemple en réalisant un gouvernement « *pour* le peuple et *par* le peuple », sans la médiation, la délégation de pouvoir, l'aliénation, d'un parlement ou d'un parti. Toutes ses mesures sont inspirées par trois principes fondamentaux :

1° Démocratie directe, c'est-à-dire non pas transfert du pouvoir au nom d'une prétendue délégation de pouvoir ou procuration en blanc de la base, mais distribution effective du pouvoir à la base;

2° Autogestion économique, c'est-à-dire constitution d'organismes qui ne soient ni privés ni étatiques, mais gérés par les usagers eux-mêmes groupés en communautés de base;

3° Fédéralisme politique tendant à substituer au gigantisme des États nationaux centralisés des unités à l'échelle humaine.

C'est cette Commune de Paris que Marx, puis Lénine considéraient comme la première « démocratie socialiste », la « dictature du prolétariat » étant la forme que prend nécessairement la démocratie socialiste devant une agression contre-révolutionnaire de l'extérieur comme de l'intérieur.

Lénine qui, en 1902, dans son livre *Que faire?*,

avait défini les règles d'organisation d'un parti clandestin, en lutte violente contre la dictature terroriste des tsars, et qui, avec juste raison, mettait alors l'accent sur la discipline militaire et le centralisme (sans jamais parler, dans ce livre, de « centralisme démocratique ») exaltera au contraire, en 1917, dans des conditions radicalement différentes, « l'initiative historique » de la base et sa spontanéité créatrice. En octobre 1917, il légalise « le contrôle ouvrier » afin, dit-il, de « montrer que nous ne reconnaissons qu'une voie : celle des transformations *venant d'en bas*, où les ouvriers élaborent, *à la base*, les nouveaux principes du système économique et politique ». « Le socialisme, ajoutait-il, ne se créera pas par des ordres venus d'en haut : le socialisme vivant, créateur, est l'œuvre des masses populaires elles-mêmes. » Son dernier combat, il le livrera contre les bureaucrates d'un appareil prétendant faire le socialisme *pour* le peuple, et non *par* le peuple. Il analysait les raisons de cette perversion en Russie : « Premièrement, nous sommes un pays arriéré, deuxièmement, l'instruction dans notre pays est minime; troisièmement, nous ne sommes pas aidés; quatrièmement, la faute en est à notre appareil d'État : nous avons hérité de l'ancien appareil d'État, et c'est là notre malheur [1]. » La bureaucratie et la technocratie étouffaient déjà l'initiative historique de la base. L'exégèse dogmatique substituait l'idéologie du parti dirigeant à l'espérance prophétique de la base.

---

1. LÉNINE, *Œuvres*, traduction française, t. XXXIII, p. 440, 441.

Un historien du christianisme disait des premiers chrétiens : ils attendaient le retour du Christ, c'est l'Église qui est venue. L'on pourrait transposer et dire : les révolutionnaires d'Octobre attendaient l'émancipation des travailleurs par les travailleurs eux-mêmes; c'est le Parti qui est venu.

Lénine, dans les conditions spécifiques de la Russie de 1902, avait montré dans *Que faire?* que la conscience révolutionnaire de la base ne se forme pas *à l'intérieur* des rapports économiques entre patrons et ouvriers, mais *de l'extérieur* par la prise de conscience des rapports politiques et de l'hégémonie culturelle de la classe dominante, Ses disciples dogmatiques et autoritaires traduisirent cette thèse en proclamant que la conscience révolutionnaire devait être apportée à la base du dehors, et sa propre expérience *d'en haut*, par le Parti et ses chefs. Tous les partis communistes ont dès lors fondé leur organisation et leur fonctionnement sur cette thèse maléfique qui faisait une fois de plus de la base non plus le sujet de l'histoire, mais l'objet plus ou moins passif d'un parti parlant en son nom.

Cette conception est d'autant plus fausse et malfaisante qu'on a affaire à des pays où l'expérience quotidienne de la base ne se limite nullement à un antagonisme économique entre travailleurs et employeurs, mais s'étend au contraire à la prise de conscience de la domination politique, de l'oppression nationale, de la discrimination culturelle. Il est de moins en moins vrai que la « spontanéité » de la base conduise à l'économisme. Les mouvements du printemps 1968 ont montré, par exemple, que le dénominateur commun des ouvriers et des étudiants n'était pas une revendication purement économique, mais l'exigence fondamentale de participer, sur tous les plans, de l'économie, de la politique, de la culture, aux décisions dont dépend leur destin, leur liberté de créer l'histoire.

Dans les pays où de tels partis eurent le pouvoir, les « soviets », c'est-à-dire les « Conseils ouvriers » de la révolution d'Octobre, cessèrent d'être les organes de base d'une démocratie vivante, directe, à laquelle tous les travailleurs participaient, pour se transformer en « courroies de transmission » du Parti et de l'État qui décidaient « du dehors » et « d'en haut ». La propriété des moyens de production ne fut pas socialisée mais étatisée c'est-à-dire que ni la définition des finalités de l'entreprise, ni l'organisation du travail, ni la répartition de la plus-value, ni la désignation des dirigeants ne relève de la base, mais de décisions politiques du « sommet » censé détenir la vérité « scientifique » du développement social.

Dans les pays où des partis fondés sur de tels principes n'étaient pas au pouvoir, le mouvement s'est adapté plus ou moins à la structure « dualiste » des démocraties bourgeoises, avec le même système de délégation et d'aliénation des pouvoirs à la base à des dirigeants et à des élus.

Nous avons affaire à une maladie politique : une confiscation des initiatives, des créations, des responsabilités, du « prophétisme » de la base, par les hiérarchies et les appareils, par des idéologies de justification et des structures d'autorité.

Cette maladie, qui frappe les Églises et les partis comme les États et les cultures, conduit à une crise aiguë : la prétention de décider « par en haut » de la vérité et de faire l'histoire se heurte de plus en plus à la volonté de la base de n'être plus objet mais sujet de l'histoire, d'inventer un avenir radicalement nouveau, qui abolisse les dualismes anciens et qui fasse de chaque homme un homme, c'est-à-dire un créateur, un poète.

L'expérience a prouvé que les révolutions qui se font *par en haut*, et non pas *en bas*, par la base, ne mettent pas fin aux aliénations, mais au contraire les perpétuent.

La multiplication des « communautés de base », même si elles s'effondrent pour se reconstituer, sous d'autres formes, est un signe des temps, l'expression d'un besoin réel, même s'il n'a pas encore trouvé la réponse à la question qu'elle pose.

La multiplication des formations politiques, mêmes éphémères, qui ne cessent de se former, de se dissoudre, de renaître, sur les marges des « partis » traditionnels, est également significative d'une défiance croissante de la base à l'égard des orthodoxies politiques dogmatiques.

Le problème politique le plus difficile aujourd'hui, pour mettre fin au règne des technocraties et des bureaucraties, c'est de maîtriser la technique en la subordonnant aux fins nouvelles de l'homme.

Ces fins ne peuvent émerger qu'en laissant à chaque homme et à tout homme l'espace prophétique lui permettant de penser en dehors des contraintes, des routines et des manipulations de l'ordre établi.

Ce problème est d'autant plus difficile qu'il existe aujourd'hui un pouvoir politique supérieur à tous les autres : le pouvoir de manipulation par les mass media et notamment par la télévision.

Elle peut donner à un régime le masque de la démocratie alors que la manipulation fait régner la dictature occulte des forces économiques ou politiques qui la détiennent et qui s'en servent pour conditionner les esprits, à l'Ouest comme à l'Est.

Toute mutation véritable passe par un usage nouveau de cet instrument terrifiant : d'un moyen de manipulation faire un moyen d'éducation critique et créatrice. Non point par une prédication morale, mais par des méthodes d'analyse permettant à chacun de prendre conscience des conséquences de ses actions et d'imaginer les possibles capables de surmonter les contradictions et de sortir des impasses.

Ce changement, le plus décisif de tous, implique une mutation politique radicale : la naissance d'un régime politique inédit tendant à faire de chaque citoyen un créateur, un poète.

C'est là le choix politique fondamental : j'appelle conservatrice toute politique prétendant apporter aux masses « du dehors » et d'en haut leur avenir et leur sens. J'appelle révolutionnaire toute politique fondée sur un pari sur les possibilités créatrices de chaque homme et de tout homme.

Nous pouvons, à partir de ce point de vue, mettre

en perspective les grandes phases du développement d'une politique socialiste depuis un siècle et esquisser son avenir.

On peut schématiser ainsi les étapes du mouvement :

1º Le modèle de la IIe Internationale, né à la fin du XIXe siècle, dont l'impuissance est devenue évidente dès la Première Guerre mondiale, mais qui a survécu et qui demeure aujourd'hui encore, aujourd'hui surtout, le danger le plus grand pour le mouvement socialiste.

Selon ce modèle n'existent que deux formes essentielles de la lutte :
— la lutte syndicale,
— la lutte parlementaire.

2º Le modèle de la IIIe Internationale, né de la Première Guerre mondiale et surtout de la révolution d'Octobre.

Il consiste à considérer la lutte syndicale et la lutte parlementaire comme des moyens et non comme des fins : la lutte syndicale pour rassembler la classe ouvrière et lui faire prendre conscience de sa force; la lutte parlementaire pour populariser les thèmes politiques permettant à la classe ouvrière de prendre conscience de ses fins, de sa mission historique, de ses rapports nécessaires d'alliance avec les classes moyennes et d'autres couches sociales brimées par le développement du grand capital.

Selon ce modèle, au moins à l'origine, et selon l'exemple de la révolution d'Octobre, la lutte syndicale et la lutte parlementaire ne sont pas exclues mais sont considérées comme des moyens d'organisation et de propagande débouchant sur une prise du pouvoir fondée non sur la conquête d'une majorité parlementaire, mais sur une insurrection des masses en armes, dont la prise du Palais d'Hiver, en octobre 1917, et l'épopée de Lénine demeurent les exemples exaltants.

3° Le modèle nouveau est apparu en 1968, dans la plus grande confusion, sous des formes parfois apocalyptiques et d'un futurisme aventurier sans grand sens du réel, parfois au contraire, passéistes jusqu'à tenter de recommencer les révolutions du XIX\ :superscript{e} siècle. Il n'en demeure pas moins qu'il ne répudiait pas fondamentalement les stratégies anciennes : celles de la II\ :superscript{e} Internationale et de ses luttes syndicales, fût-ce en greffant sur ces combats un volontarisme insurrectionnel, ou des luttes parlementaires sous leur forme la plus caricaturale : celle des combinaisons d'états-majors sur d'hypothétiques gouvernements futurs, sans aucun enracinement dans la volonté des masses en mouvement.

Il n'écartait pas non plus l'insurrection armée y compris sous la forme mythique d'un « grand soir ».

Ce qui demeure de ce mouvement et lui donne une telle importance qu'il est impossible aujourd'hui de penser sans lui une politique nouvelle, c'est d'abord son enracinement dans la visée révolutionnaire la plus authentique : une révolution aujourd'hui, c'est d'abord l'acte par lequel les masses prennent en main leurs propres affaires, leur propre avenir. Sans l'intermédiaire d'un maître d'esclaves, d'un seigneur, d'un patron ou d'un bureaucrate parlant en son nom en faisant semblant de le consulter.

De ce point de vue fondamental, mai 1968 exprimait, fût-ce confusément, l'exigence de changer la règle du jeu politique en n'écartant pas l'initiative autonome des masses.

Le mouvement s'opposait ainsi à la fois au système de l'oligarchie capitaliste, et aux régimes de centralisme bureaucratique des systèmes « socialistes » existants.

Il retrouvait, par-delà la IIe et la IIIe Internationale, la visée première de Marx : celle d'une société dont la vie économique, sociale, politique, culturelle, ait pour fondement l'autonomie de chaque travailleur, participant à part entière aux décisions concernant l'avenir de tous.

Au centre de cette stratégie est le conseil de travailleurs, celui de la Commune de Paris, des soviets de 1905, des conseils d'ouvriers, de paysans et de soldats de 1917 et des soviets d'Octobre, avant qu'ils cessent d'être des organes d'autogestion pour se transformer en rouages de l'appareil unique du Parti et de l'État, celui des conseils ouvriers italiens de Gramsci et de l' « Ordine nuovo », celui de l'autogestion yougoslave des années 50, celui des conseils ouvriers de Prague en son printemps.

L'élément le plus caractéristique de la première étape des luttes ouvrières, celle qui est dominée par l'idéologie et la tactique de la IIe Internationale, sociale-démocrate, c'est le rôle primordial qu'y joue le Parlement.

Le Parlement est la forme typique de la lutte par l'intermédiaire des chefs, sans la participation des masses.

C'est une création, fort progressive d'ailleurs, de la bourgeoisie dans sa lutte contre la féodalité : en Angleterre comme en France, pays classiques du parlementarisme, toute conquête d'une prérogative du Parlement était une victoire contre le passé féodal. En face d'une classe de propriétaires terriens, dont les intérêts communs étaient évidents, la bourgeoisie rassemblait, dans un Parlement, les représentants de ses intérêts divers, atomisés à travers tout le territoire national : industrie, commerce, banque, etc. Chaque parti était l'expression des intérêts communs de l'une de ces couches sociales et constituait, à l'Assemblée, un groupe de pression. Avec les mutations économiques, du XVIIe au XIXe siècle, leur coalition finit par l'emporter, sous des formes plus ou moins violentes ou pacifiques, sur l'ancien régime d'essence féodale.

Il est remarquable que dans les principaux pays où il triomphait successivement, le régime parlementaire se fondait sur un vote censitaire : seuls avaient le droit de vote ceux qui possédaient une certaine propriété : « Le propriétaire seul est citoyen. » La montée successive des diverses formes de propriété, avec le développement du capitalisme, constitue l'armature du développement historique des nations modernes.

L'extension numérique de la classe ouvrière imposa, au cours du XIXe siècle, le suffrage universel, par des actions parfois insurrectionnelles, parfois grévistes (par exemple par les grèves générales de Belgique et d'Autriche).

La classe ouvrière eut désormais, au Parlement, ses partis socialistes, qui se coulèrent dans le moule des partis du Parlement bourgeois : ils constituaient des « groupes de pression », en faveur des revendications ouvrières (durée de la semaine de travail, taux des salaires, lois sociales, etc.) à l'intérieur même du système parlementaire bourgeois.

Le « modèle » de « révolution socialiste » reposait sur le schéma des combinaisons parlementaires bourgeoises : obtenir des masses électorales une majorité parlementaire; avec cette majorité, imposer un nouveau gouvernement (en confondant avoir le gouvernement avec avoir le pouvoir), et par ce gouvernement, nationaliser ou exproprier les grandes entreprises capitalistes, instituant ainsi le socialisme.

Le principe parlementaire de la délégation de pouvoir, de l'aliénation politique, demeurait l'essentiel de ce schéma qui se ramenait à cette propagande : donnez-nous vos suffrages et, dès que nous obtiendrons les magiques 51 pour 100, nous vous donnerons le socialisme. C'est l'exemple limite de ce que Lénine appelait le « crétinisme parlementaire ».

Sans détailler les raisons de l'échec de cette idéologie, il suffit de rappeler que dans tous les pays où un parti socialiste est arrivé au gouvernement par cette voie (Angleterre, Allemagne, pays scandinaves, Australie, etc.) il n'a jamais réalisé même un commencement de socialisme.

Indiquons simplement les raisons de cet échec systématique et inéluctable :

1° Le Parlement n'est plus, depuis longtemps, le centre vivant de la politique. D'abord, parce que dès que les partis ouvriers y ont pris une place importante, il importait, pour maintenir la règle de jeu, de dépouiller le Parlement de ses pouvoirs fondamentaux : pour le passé, le contrôle du budget ; pour l'avenir, l'élaboration du Plan.

2° Avoir le gouvernement ne signifie pas avoir le pouvoir : il existe des forces économiques (nationales ou internationales), capables de bloquer toute initiative gouvernementale de rénovation, et il existe des forces militaires (intérieures mais éventuellement épaulées fortement de l'extérieur), pour interdire toute mutation économique, sociale et politique véritable.

(L'expérience chilienne, est, de ce double point de vue, irréfutable, par l'action de l'I.T.T. et de l'Anaconda Cooper d'une part, de la C.I.A. et du Pentagone d'autre part.)

Dans cette perspective (ou plutôt, cette absence de perspective), les syndicats jouent un rôle subordonné :

a) Ils s'organisent de plus en plus sur le modèle parlementaire de la délégation et de l'aliénation de pouvoirs au profit de dirigeants étroitement liés d'ailleurs à la direction politique et parlementaire ;

b) Ils servent les objectifs des partis politiques en fournissant une « base de masse » à leurs groupes de pression ;

c) Ils constituent, de plus en plus, des organes de la « légalité » parlementaire bourgeoise en devenant les « interlocuteurs valables » des gouvernements, dans les négociations tendant à obtenir, à l'intérieur d'un régime faisant de la force de travail une marchandise, de meilleures conditions de vente de cette force de travail. (En France il en a été ainsi de la charte d'Amiens, en 1906, jusqu'aux accords de Grenelle de 1968, où les dirigeants syndicaux ont plaidé le dossier salarial, sans prendre conscience des revendications nouvelles qui émergeaient dans la classe ouvrière. Quelques mois plus tard, une dévaluation — et la hausse des prix correspondante, comme en 1936 — absorbait tous les « avantages acquis » à la seule exception de la reconnaissance légale des sections syndicales d'entreprises.)

La deuxième étape du mouvement ouvrier est née avec la révolution d'Octobre 1917 en Russie. Elle correspond, en gros, à l'activité de la IIIe Internationale.

Le point de départ en fut une spéculation sur cette révolution d'Octobre, oubliant qu'elle était purement conjoncturelle :

1° Elle avait éclaté, non pas, comme le prévoyait Marx dans *Le Capital,* comme dépassement des contradictions d'un pays capitaliste ayant atteint son plein développement, mais au contraire, dans un pays économiquement et politiquement sous-développé, qui n'avait jamais connu l'expansion des techniques de pointe de l'Occident, ni les conquêtes de la démocratie bourgeoise ni même la Renaissance et la Réforme.

Si bien que, dans ce pays où la classe ouvrière représentait, en 1913, moins de 3 pour 100 de la population active, et, après la contre-révolution et l'intervention étrangère, moins de 1 pour 100, le problème majeur était de créer une dictature du prolétariat sans prolétariat, avec un parti se substituant à la classe et parlant en son nom.

2º Cette révolution avait éclaté dans des conditions spécifiques : la guerre et la défaite avaient discrédité les cadres de l'armée et du régime politique, et, par contre, avaient mis les armes aux mains du peuple (paysan en sa majorité). Le génie de Lénine fut précisément de réaliser dans de telles conditions une révolution socialiste dans un pays en majorité paysan dont les mots d'ordre étaient ceux d'une révolution bourgeoise, « la terre et la liberté », et d'inverser radicalement le schéma de Marx : au lieu de faire correspondre les superstructures politiques à la base économique, s'emparer du pouvoir politique pour créer ensuite les bases économiques du socialisme.

3º Lénine, qui ne nourrissait aucune illusion sur l'avenir d'un système socialiste triomphant dans une telle conjoncture, croyait qu'une victoire réelle n'était possible que dans la mesure où les prolétariats des pays capitalistes plus avancés de l'Europe occidentale prendraient à leur tour le pouvoir et viendraient en aide à la Russie.

Or, surtout après l'écrasement des communistes allemands, lorsqu'il n'était plus possible de compter sur leur renfort, Lénine, d'ailleurs écarté de la direction politique de l'U.R.S.S. par la maladie, vit son régime virer de bord.

Il a résumé, dès 1920, le drame de son peuple : « En raison des déformations bureaucratiques de notre régime, où ne règnent pas les masses populaires, mais une « élite » prétendant parler en son nom, nous ne construisons pas le socialisme *par* le peuple, mais, dans le meilleur des cas, *pour* le peuple. » Est-ce alors le socialisme ?

Tout le mouvement communiste international fut organisé en fonction de cette situation nouvelle. Les « 21 conditions », imposées aux partis communistes pour prix de leur adhésion à la IIIe Internationale, tendaient à doter ces partis de formes d'organisation calquées sur le modèle, très centralisé, du Parti bolchevique : en prévision d'un assaut militaire proche et d'une défense armée de la première révolution socialiste, celle de la Russie d'Octobre, l'accent était mis d'abord sur la discipline, sur l'obéissance inconditionnelle aux directives de l'Internationale et de ses représentants en chaque nation.

Il est probable qu'une telle organisation du mouvement correspondait aux exigences redoutables de l'époque : à la coalition militaire des pays capitalistes contre l'U.R.S.S. (comme au temps de Robespierre et du Comité de salut public, à la coalition de l'Europe féodale contre la France de la révolution bourgeoise), à la politique économique du « fil de fer barbelé » de Clemenceau et de Churchill, à la propagande féroce contre le communisme de « l'homme au couteau entre les dents ».

Mais, la grande alerte passée, l'U.R.S.S. reconnue comme une grande puissance (déjà par Herriot en 1924) puis apparaissant, dans la guerre contre Hitler, comme l'élément décisif de la victoire contre le fascisme, la forme primitive d'organisation des partis communistes devenait de plus en plus périmée. La dissolution de la IIIe Internationale, au cours de la guerre, reconnaissait avec éclat cet anachronisme. Seul Togliatti en tira les conséquences après le XXe Congrès du Parti communiste de l'U.R.S.S., en 1956.

Or, au lendemain de la Seconde Guerre mondiale, la tentation d'imposer à tous les partis communistes la forme d'organisation centralisée et bureaucratique engendrée par la conjoncture historique en Russie s'exprima avec une violence sans précédent non seulement en Union soviétique même, où les cadres politiques et militaires qui tentèrent de mettre en doute cette orientation furent liquidés, mais aussi dans tous les pays où l'Union soviétique avait imposé son propre modèle : en Bulgarie (procès de Petkov en 1947), en Roumanie (éviction d'Ana Pauker en 1952), en Pologne où le Comité central avait été à peu près entièrement exterminé, en Tchécoslovaquie avec les procès de Slansky et de London.

Les « rebelles » furent éliminés sous des formes variables en chaque pays, dès 1948 en Yougoslavie, dès 1956 en Allemagne, en Pologne, en Hongrie, dès 1958 en Chine, en 1968 en Tchécoslovaquie. En 1970 en Pologne la pression populaire imposa des changements de dirigeants.

Chaque répression, depuis un quart de siècle, a vu renaître le même mot d'ordre : conseils ouvriers, autogestion. Ainsi naquit la troisième étape de la lutte du mouvement ouvrier pour le socialisme.

Il convient d'en bien saisir la portée : il est la visée même du socialisme. Le socialisme est un projet humain à long terme, à la fois critique et utopique, tendant comme on l'a écrit, à « mettre les pouvoirs qui naissent du travail commun des hommes au service non de quelques-uns mais de toute la communauté ».

L'expérience historique a montré également que tout parti communiste réussissant, à la faveur d'une conjoncture spéciale, à prendre le pouvoir (guerre perdue ou entrée dans un pays de l'armée victorieuse d'un « socialisme » voisin) n'avait jamais réussi à placer au pouvoir le peuple, mais seulement quelques dirigeants et l'organisation du parti dont ils se réclament. Les vainqueurs de la Révolution française n'avaient plus de seigneurs, ils avaient des patrons ; les vainqueurs d'Octobre n'avaient plus de patron mais des dirigeants.

Le schéma général abstrait : prise du pouvoir,

212

puis suppression de la propriété privée des moyens de production, ne suffisait à réaliser ni l'extinction de l'État ni une mutation de l'homme engendrant un homme nouveau.

Cette conception de la révolution est liée aux révolutions du passé.

Le mot d'ordre « conseils ouvriers, puis autogestion » se heurte à la double opposition du patronat et des politiciens professionnels.

D'abord parce qu'il repose sur ce principe que le bon fonctionnement de l'entreprise exige la participation de tout le personnel :

— à tous les niveaux de la hiérarchie patronale, du directeur à l'O.S. ;

— à tous les niveaux de la hiérarchie syndicale ; la lutte ne peut être menée par les seules minorités syndiquées (et moins encore par leurs représentants), mais par l'ensemble des salariés.

En outre, le conseil des travailleurs met en cause, en son principe même, toute l'idéologie traditionnelle des rapports entre la propriété et le pouvoir. Jusqu'ici le pouvoir capitaliste, dans l'entreprise, tenait sa légitimité, à l'origine, de la propriété personnelle du patron, puis à une étape nouvelle de l'extension de l'entreprise, des actionnaires, représentés (là encore sur le modèle parlementaire) par le conseil d'administration. Le pouvoir du P.-D.G. puisait dans cette « élection », sa légitimité. A une étape nouvelle de l'extension de l'entreprise, l'immense majorité des actionnaires, ne participant pas aux assemblées, déléguait et aliénait son pouvoir aux maîtres des grandes firmes, qui, dès lors, menaient le jeu, et procédaient à une véritable « cooptation » entre quelques technocrates.

Or, le régime juridique n'a pas suivi cette évolution, il a tendu à maintenir « l'unité du pouvoir », c'est-à-dire une structure dictatoriale conférant tout le pouvoir au seul P.-D.G.

Le postulat de base demeure, comme dans le code napoléonien (qui résume la logique du système capitaliste naissant), que le « droit de propriété » prime tous les autres droits.

Mais là encore, il ne s'agit plus, un siècle et demi après, d'un contrat entre un propriétaire absolu et un travailleur n'ayant à vendre que sa force de travail : par leur travail les ouvriers, ingénieurs et employés ont « sécrété » la plus grande partie du capital de l'entreprise.

En effet, de même que le Parlement avait depuis longtemps cessé d'être un moyen (comme le préconisait Lénine) de faire éclater les contradictions de la vieille société et de populariser le projet socialiste d'une société nouvelle, pour devenir une fin en soi, c'est-à-dire prétendre vainement s'insérer dans le jeu parlementaire bourgeois, conquérir la majorité électorale et confondre la prise du gouvernement avec la prise du pouvoir; de même les syndicats avaient eu tendance à prendre, eux aussi, la structure parlementaire, avec ses délégations et ses aliénations de pouvoirs, à amenuiser ainsi l'initiative propre de la base et à ne considérer comme

214

valables et raisonnables que les propositions élaborées dans les bureaux des directions syndicales ou politiques.

De là, d'ailleurs, le nombre croissant de « grèves sauvages » (non déclenchées par les dirigeants responsables) et menées, avec plus ou moins de bonheur, par des travailleurs de base, le plus souvent non syndiqués et d'un très jeune âge.

Les conseils de travailleurs, incorporant toutes les organisations syndicales sans s'opposer à elles mais sans s'y subordonner, préfigurent ce que serait une « démocratie socialiste ».

C'est une hypocrisie de dire que la démocratie socialiste sera une démocratie bourgeoise simplement débarrassée de ses limitations. De même qu'il eût été mensonger de dire que le système bourgeois n'était qu'un système féodal libéralisé.

Les conseils de travailleurs ne permettraient pas seulement d'écarter les parasites, mais aussi d'éviter la représentation globale, le « chèque en blanc » : lorsque je vote pour un député ou pour un président de la République, sur la base territoriale, je lui délègue et lui aliène en bloc mes responsabilités pour plusieurs années. Le vote non territorial, mais sur le lieu de travail, permet d'abord une représentation partielle et une représentation consciente : que je sois métallurgiste ou médecin, j'ai plus de chance de faire un choix fondé en désignant l'un de mes pairs pour me représenter, non pas globalement, mais dans une fonction déterminée.

L'autogestion ne saurait être confondue avec le coopératisme proudhonien d'abord parce qu'elle

n'est pas seulement une forme nouvelle d'organisation et de direction de l'entreprise. Car la *gestion,*
qu'elle soit *auto*gestion par les travailleurs eux-
mêmes, ou *hétéro*gestion (par un patron ou une
direction générale capitaliste, ou par une direction
étatique centralisée, comme dans le modèle soviétique) ne porte que sur les *moyens.*

L'autogestion des moyens n'a son plein sens que
dans une société fondée sur *l'autodétermination des
fins.*

Le problème politique fondamental, c'est de faire
émerger le choix des fins de la société globale à
partir de la base, et non pas « d'en haut », au nom
d'un savoir absolu prétendant se fonder soit sur une
révélation religieuse, soit sur une raison éternelle,
soit sur une « science » apportée « du dehors » à la
base.

Cette réserve faite sur le mot, l'autogestion c'est
l'ensemble des méthodes visant à stimuler l'initiative créatrice des masses.

Elle ne se limite pas aux structures de l'entreprise
et du pouvoir.

Elle s'étend à tous les niveaux de l'activité
sociale.

— *Au niveau de la production,* des entreprises et
des unités de travail de tous ordres, par les *conseils
ouvriers,* auxquels tous les travailleurs participent,
sans déléguer leur pouvoir et aliéner leur pensée
personnelle, pour l'autodétermination des fins et
l'autogestion des moyens;

— *Au niveau de la consommation,* par la multiplication de *communautés de base* c'est-à-dire d'orga-

216

nismes qui ne soient ni étatiques ni privés, mais gérés par les usagers eux-mêmes, qu'il s'agisse, par exemple, de contrôle des prix sur un marché, d'organisation des transports en commun, de mutuelles pour la gestion des grands ensembles et la lutte contre la spéculation immobilière, ou de contrôle de tout autre domaine de la consommation ou des services ;

— *Au niveau de la culture,* en encourageant la formation *des centres d'initiatives* et de création, qui ne soient, là encore, ni étatiques ni privés, mais créés et gérés par les usagers eux-mêmes dans tous les domaines de l'animation : écoles et universités, sociétés sportives ou organisations de vacances, ateliers d'art ou de danse, chorales ou orchestres, maisons de la jeunesse ou de la culture sous toutes leurs formes.

A ces trois niveaux :

a) de la production avec les conseils ouvriers ;

b) de la consommation avec les communautés de base ;

c) de la culture avec les centres d'initiative et de création,

peut s'élaborer *par en bas* une nouvelle manière de vivre individuellement et de s'organiser socialement.

Le système de représentation, émanant des conseils ouvriers, n'est pas seulement différent mais opposé au type de représentation dit « corporatif », propre aux régimes fascistes, qui est un système de représentation par « branches professionnelles », mêlant travailleurs et exploiteurs à l'avantage exclusif de ces derniers. Ce système corporatif fasciste est pire même que le système parlementaire classique car la maîtrise patronale y est directement transposée du plan économique au plan politique. Alors que, dans le système des « conseils ouvriers », tout au contraire, seul le travailleur est représenté.

C'est par là que la stratégie des conseils ouvriers s'oppose à celle des « Union de la gauche », comme on dit en France, de l' « Union populaire », comme on disait au Chili.

D'abord l'Union populaire chilienne comme le Programme commun ne conçoivent la démocratie que sous forme de la délégation, de l'aliénation : il s'agit, dans les deux cas, d'obtenir une majorité présidentielle ou parlementaire et les états-majors des partis composant la coalition feront le reste... c'est-à-dire le socialisme. Tout au plus un mouvement gréviste et, éventuellement, un mouvement de rue, sur les mots d'ordre élaborés en haut, aideraient les états-majors de partis à tenir leurs promesses électorales. Les masses ne seront toujours qu'une force d'appoint

Une deuxième faiblesse découle de la première et en constitue la conséquence directe : le problème des alliances. Sans aucun doute il serait absurde de prétendre que la classe ouvrière, et elle seule, pourra instituer le socialisme. L'hypothèse n'était nullement absurde au temps de Marx et d'Engels où la montée numérique de la classe ouvrière était fulgurante et où les causes internes du développement technique ne permettaient pas de prévoir un ralentissement, voire une régression.

Dans la conjoncture d'alors — comme plus tard dans la Russie agraire de 1917, ou même la France de 1927 —, il était normal et juste de concevoir cette alliance sous la forme d'une communauté de combat entre les nouveaux exploités (ouvriers) et les anciens exploités de la féodalité ou de la propriété terrienne (les paysans). A quoi pouvaient s'ajouter les « classes moyennes » traditionnelles, c'est-à-dire, outre les petits paysans propriétaires, les petits commerçants et les artisans menacés par le développement des grands monopoles capitalistes.

Or, la situation est devenue radicalement différente : en France, par exemple, la petite paysannerie propriétaire est devenue une infime minorité, et une bonne partie d'entre elle, celle qui s'est industrialisée, a des visées opposées à celles de la classe ouvrière : visées d'intégration au régime et non de subversion. Quant aux « classes moyennes » traditionnelles, du commerce et de l'artisanat, très peu de leurs membres ont conscience que leur destin est solidaire de celui de la classe ouvrière. Sans aucun doute ils se sentent laminés et promis à la mort par les grosses industries et les grandes surfaces, mais cette épouvante ne suffit pas à créer un lien de solidarité avec la classe ouvrière : l'absence de perspective ne conduit pas au socialisme; elle livre au fascisme. L'éphémère succès du poujadisme en France en a été un indice, mais il a eu, depuis, des successeurs non moins irréductiblement opposés à la classe ouvrière. Au Chili, l'épisode sans gloire de la « grève des entrepreneurs routiers », paralysant l'économie du pays, et le rôle des « classes moyennes », à Santiago en particulier, illustrent de façon sinistre cette tendance.

Ce n'est donc pas en multipliant les offres d'alliance et les concessions à de telles couches sociales que l'on ira vers le socialisme. Elles n'ont qu'un seul point commun avec la classe ouvrière : la haine des trusts et des sociétés multinationales. Mais cette négation commune ne donne pas une base suffisante pour une alliance. Tout au plus peut-on échafauder ainsi un « cartel des non », mais non pas élaborer ensemble une perspective cohérente de démocratie et moins encore de socialisme.

C'est ce qui oppose, en son principe même, une « alliance anti-impérialiste » et un « bloc historique nouveau ». Le premier n'a pour ciment que des refus communs définis au niveau de compromis entre états-majors de partis politiques. Le second une perspective historique, historiquement fondée sur le développement organique de telles ou telles couches sociales.

C'est pourquoi il n'est pas d'erreur plus profonde et plus mortelle pour l'avenir, que de confondre sous la même étiquette de « classes moyennes », des réalités sociales absolument hétérogènes telles que les « classes moyennes traditionnelles » (petits paysans, artisans, et commerçants) en constante régression et affolées par l'absence pour elles de perspective d'avenir, et les couches en pleine expansion, d'ingénieurs, de cadres, de techniciens de toute nature, qui, même si elles n'ont pas encore pleinement conscience, subjectivement, de leur communauté avec la classe ouvrière, présentent un fondement objectif, historique, à l'alliance avec celle-ci : la nécessité de prendre part à l'élaboration des décisions concernant l'avenir.

Lorsque l'on confond les grandes étapes du développement du mouvement socialiste : lorsque, par exemple, l'on essaye aujourd'hui de mettre en œuvre une méthode qui a fait faillite il y a plus d'un demi-siècle, avec l'action parlementaire et syndicale propre aux sociaux-démocrates ; lorsque la référence verbale à la « révolution » a une signification de moins en moins terrestre depuis que l'épopée de la prise armée du pouvoir en octobre 1917 a dégénéré de telle façon que les soviets ont perdu graduellement leurs qualités d'organisme d'autogestion, pour être finalement réduits au rôle de simples rouages de l'appareil du Parti ou de l'État, il importe de consacrer tous ses efforts de pensée et d'action à la réalisation de la nouvelle étape de la lutte pour le socialisme afin de lui donner son visage humain : celui des conseils ouvriers et de l'autogestion.

Ce socialisme intègre non seulement la visée première de Marx, mais toutes les luttes et tous les rêves de la libération de l'homme, de Joachim de Flore à Thomas Münzer et des grands utopistes français et anglais du XIXe siècle à Mao Tsé-tung, à Che Guevara et à Camilo Torrés. C'est un socialisme qui crée pour chaque homme son espace prophétique de liberté, parce qu'il reconnaît la dimension fondamentale et la plus irrécusable de l'homme : la transcendance. Ce socialisme, fondé sur un dialogue permanent de l'homme avec le Dieu-poète qui lui est intérieur, est un socialisme dont la vocation suprême est de créer les conditions économiques, politiques et spirituelles de l'émergence poétique de l'homme.

LA CITÉ IDÉALE

Je ne prépare pas des recettes de cuisine pour les gargotes de l'avenir.

Karl MARX.

Nous n'avons pas à programmer les poètes du troisième millénaire. Ils sont en train de naître. Ils auront vingt-cinq ans en l'an 2000. Il serait paradoxal que nous, hommes aliénés de l'extrême fin du deuxième millénaire, qui rêvons seulement à l'émergence poétique de l'homme, prétendions régenter cet avenir qui n'est pas le nôtre.

UNE FOI

Tout ce que je dis de Dieu, c'est un homme qui le dit.

Karl BARTH.

Ma vie d'homme a commencé lorsque je suis devenu militant révolutionnaire pour réaliser les exigences de ma foi de chrétien.

Ma vie a pris tout son sens lorsque j'ai découvert, dans ma foi, le fondement de mon action révolutionnaire.

Cette foi ne consiste pas à adhérer à un catalogue de vérités toutes faites, mais à s'ouvrir à une création, à engager son existence sur un style de vie. La foi, c'est ce qui nous met en marche.

De quelle foi s'agit-il? Foi en Dieu? Foi en l'homme?

C'est un faux problème : une foi en Dieu qui n'impliquerait pas la foi en l'homme serait une évasion et un opium; une foi en l'homme qui ne s'ouvrirait pas sur ce qui, en l'homme, déborde l'homme, mutilerait l'homme de sa dimension spécifiquement humaine : la transcendance.

Cette transcendance ne tombe pas du ciel; elle émerge de l'histoire.

Elle émerge des révolutions de l'histoire.

Elle émerge avec plus d'évidence encore des exigences révolutionnaires de notre temps.

Les révolutions modernes, qu'il s'agisse de la Révolution française ou des révolutions socialistes conçues par Marx, étaient fondées sur le postulat selon lequel le développement des sciences, des techniques, de la production, était en soi un bien et constituait la condition, sinon unique du moins essentielle, du plein épanouissement de l'homme.

Dans le cas de la Révolution française, avant 1789, la bourgeoisie détenait déjà les forces d'avenir de l'économie (l'industrie, le commerce, la banque). La révolution consistait à faire correspondre un nouveau régime politique à cette réalité économique déjà existante, à assurer la cohérence intérieure du système en mettant les rapports sociaux, les institutions politiques et les normes de la culture en harmonie avec les exigences d'un essor sans entraves des forces productives.

Le problème de la révolution ne change pas de nature lorsque Marx fait, dans *Le Capital,* la démonstration que les structures sociales et politiques instaurées par la Révolution française, et qui avaient jusque-là permis l'essor des forces productives, devenaient désormais un frein à ce développement. Une fois encore c'est au nom d'une *loi de correspondance* entre les rapports de production et l'état des forces productives que se justifie la nécessité d'une révolution.

Le fondement philosophique d'une telle mutation, dans les deux cas, exclut toute référence à des fins extérieures au système, toute transcendance, puisque cette réorganisation structurelle s'opère à partir d'une exigence intérieure au système : le développement des forces productives, et la restructuration de tous les autres rapports sociaux pour briser les obstacles à ce développement.

En revanche, lorsque les postulats de la renaissance occidentale sur les vertus du progrès scientifique et technique et de l'expansion économique sont mis en question, lorsqu'il apparaît que ces objectifs de puissance et de profit ont conduit à la destruction de la nature à force de la considérer uniquement comme un réservoir et un dépotoir; à l'aliénation et à la manipulation de l'homme réduit à n'être que producteur et consommateur; à la crise de l'espérance devant un morne avenir qui ne serait plus émergence du nouveau, transcendance et création, mais simple prolongement des dérivés du passé et du présent, alors il devient de plus en plus clair que les fins de notre société ne peuvent plus être cherchées *à l'intérieur* de notre système occidental, mais *à l'extérieur.* Non plus dans une « science » qui n'est pas la science, mais simplement la science occidentale, mais dans une sagesse plus vaste, permettant de penser et de vivre des rapports infiniment plus riches avec la nature, avec les autres hommes, avec tous les possibles d'un avenir qui soit émergence poétique de l'homme.

Le fondement théorique d'une révolution ne pouvait donc plus être *une loi de correspondance* mais un *principe de transcendance,* nous donnant

227

conscience que nous sommes pleinement responsables de l'invention du futur.

Le capitalisme a engendré une société sans
finalité humaine, dont la croissance sauvage est le
dieu caché.

Les formes actuellement existantes du socialisme
(à l'exception peut-être du communisme chinois),
reposant sur la même conception conquérante de
nos rapports avec la nature, n'ouvrent pas l'homme
à de nouvelles dimensions transcendantes car elles
ne conçoivent l'avenir que sous la forme d'une
émulation avec le capitalisme pour mieux répondre
aux mêmes besoins.

Dans cette crise de l'homme, sur quoi peut se
fonder notre espérance?

Pas sur l'optimisme béat de la philosophie des
« lumières », du progrès, et de la croissance économique, ni sur une conception dogmatique selon
laquelle le socialisme serait « nécessaire » parce que
la dialectique de l'histoire serait un cas particulier
d'une dialectique plus générale, valant pour la
nature et les choses, très proche d'une théologie
laïcisée de la Providence.

Pas davantage sur une dialectique de la misère et
de la colère, de l'oppression et de la révolte :
d'abord parce que la misère n'est pas révolutionnaire (Marx lui-même ne fondait pas son espoir sur
le sous-prolétariat); ensuite parce que la conscience
révolutionnaire ne naît pas spontanément, ni de
l'évolution ni de sa négation; enfin parce qu'il n'y a
pas de « déterminisme économique » : Marx a
maintes fois souligné que ce sont les hommes qui

font l'histoire, que tout passe à travers des consciences et des volontés d'hommes. Il y a des
conditions « subjectives » indispensables à la révolution. A ceux qui les oubliaient, Lénine reprochait
de devenir « opportunistes à force d'objectivité ».

Nous ne pouvons compter, pour fonder notre
espérance, sur aucune complicité dans le mouvement spontané, immanent, des choses et de l'histoire. Nous ne pouvons être portés ni par les dérives
suicidaires du monde capitaliste, ni par leur simple
négation et les révoltes qu'elle engendre, ni par les
simples transferts de pouvoir, d'avoir, et de savoir,
à quoi l'on a prétendu réduire un socialisme qui
perpétuerait les aliénations du vieux monde.

Le socialisme est plus que jamais à l'ordre du
jour immédiat. Si nous ne voulons pas nous
abandonner aux crises convulsives de plus en plus
profondes de l'économie, de la politique et de la
culture du capitalisme, et si nous ne réduisons pas
le socialisme à un autre mode de gestion de ces
crises, le socialisme demeure le seul projet capable
d'assurer non seulement la nécessaire mutation de
notre monde, mais la survie des hommes.

Ce projet reste à inventer et à réaliser.

Le positivisme a perverti la conception même du
« socialisme scientifique » : car ce positivisme,
réduisant la science à un enchaînement de faits et de
lois, élimine l'homme, ses initiatives historiques, sa
transcendance, et fait de l'avenir une extrapolation
du passé. Une telle conception du « socialisme
scientifique », qui ne met pas en cause le projet de
civilisation de la Renaissance et du XVIIIe siècle, qui

continue donc à fonder le socialisme sur *la loi de correspondance* et non sur le *principe de transcendance* devient nécessairement conservateur.

Le révolutionnaire est celui qui fonde sa politique sur une confiance absolue dans les possibilités créatrices de l'homme et de tout homme.

Le conservateur est celui qui fonde sa politique sur l'idée que la conscience doit être apportée aux masses « du dehors », que ce soit au nom d'un dogme religieux, d'une « raison » abstraite ou d'une « science ».

Le socialisme peut être et doit être scientifique dans les moyens mis en œuvre pour le réaliser (analyses historiques, stratégie, tactique, méthode d'organisation, planification, etc.) mais la décision par laquelle je deviens un révolutionnaire, un « mutant », qui m'amène à accepter, si c'est nécessaire, de mourir afin que naisse le socialisme, ne peut être déduite ni d'une logique, ni d'une dialectique, ni d'une expérience ou d'une démonstration scientifique.

Le point de départ est un choix, une foi.

Et nous devons avoir clairement conscience des postulats, d'ordinaire cachés, de notre décision initiale.

Le premier postulat de toute action révolutionnaire est un postulat de transcendance.

La conscience révolutionnaire n'est pas seulement un *reflet* du monde déjà existant; elle comporte un *projet* d'un autre ordre social et humain, qui n'existe pas encore. (Tout comme chez Marx le travail spécifiquement humain est un travail précédé de la conscience de ses fins, précédé de son projet.) Le premier postulat pourrait donc se formuler ainsi : *Les fins de l'action révolutionnaire ne peuvent être déduites seulement du passé ou du présent.*

A la différence de l'évolution naturelle, l'histoire humaine est faite par l'homme, affirmait Marx dans *Le Capital* en se référant à Vico.

Ce postulat est celui de la possibilité de se libérer de l'ordre donné de la nature, de construire une histoire.

C'est le postulat de la rupture avec le positivisme. Le positivisme, en enfermant la pensée dans le donné, enferme l'action dans l'ordre établi.

Si le monde de l'expérience physique est « en soi » il n'y a plus de possibilité pour l'homme de faire sa propre histoire.

C'est ce que signifie la thèse de Kant : le monde de notre expérience physique n'existe pas « en soi », c'est-à-dire qu'il ne se suffit pas à lui-même. Cela est vérifié par toute l'épistémologie contemporaine : tout ce que je dis du monde, de l'histoire ou de Dieu, c'est un homme qui le dit. C'est le fondement de la pensée critique (de Kant à Karl Barth, à Husserl et à Bachelard).

L'acte de l'homme, qui est un acte de création, même au niveau de la pensée, en concevant et en réalisant des possibles (hypothèses ou modèles scientifiques, idéaux, utopies ou projets) fait partie du réel.

Fichte disait : « L'idéal est plus réel que le réel », car le réel est modelé en fonction des possibles que nous concevons.

Pour Marx, comme pour Hegel, le possible fait partie du réel.

Si ce possible, cette hypothèse, ou ce projet ne sont pas déjà inscrits dans le passé ni le présent; si l'avenir n'est pas simplement sur le prolongement du passé et du présent, s'il émerge du nouveau, je suis obligé de reconnaître, comme l'expérience la plus quotidienne, cette dimension du réel, cette possibilité permanente de dépassement, cette transcendance.

La transcendance est cette dimension irrécusable de la réalité lorsque l'on ne fait pas abstraction, pour la définir, de la présence de l'homme et de son acte créateur.

La transcendance est l'attribut premier de l'homme, l'être qui, à la différence des animaux, enfermés dans le cercle des comportements répétitifs, réalise, par son travail (précédé par la conscience de ses fins), l'émergence du nouveau.

Cette transcendance nous en faisons l'expérience chaque fois qu'il y a acte créateur : dans la création artistique, dans la recherche scientifique ou technique, dans l'amour ou le sacrifice. En un mot dans tout ce qui brise le cercle du savoir positiviste, ou de l'action utilitaire.

La difficulté, lorsqu'on emploie le terme de « transcendance », c'est d'en éliminer les connotations d'irrationnel et de surnaturel qu'il véhicule, toutes les images dualistes qu'il suggère.

Une conception adulte de la transcendance ne peut être ni précritique ni prémarxiste :

— Ni précritique, car elle ne doit jamais oublier, comme le disait Barth, que tout ce qui est dit de Dieu c'est un homme qui le dit ;

— Ni prémarxiste, car elle ne doit jamais oublier l'apport irrécusable de Marx : le matérialisme historique, c'est-à-dire la première conception de l'histoire qui cherche le moteur de l'histoire dans l'histoire elle-même. C'est là l'ordalie du feu pour la transcendance : tout ce qui est fait c'est un homme qui le fait.

Les histoires prémarxistes concevaient l'histoire comme régie du dehors (par un destin, une Providence, une loi du progrès, un « esprit absolu »). Marx s'efforce de concevoir un moteur intérieur à l'histoire elle-même : à partir des inerties de la nature, des aliénations de la société et des initiatives des hommes qui font leur propre histoire.

C'est une expérience historique : les premiers mouvements révolutionnaires en Europe, inspirés par les conceptions de Joachim de Flore, de Jan Hus à Thomas Münzer, se fondaient sur un appel à réaliser le royaume de Dieu.

Frédéric von Schlegel note : « Le désir révolutionnaire de réaliser le royaume de Dieu... est le début de l'histoire moderne. »

Le projet d'un royaume de Dieu porte, certes, chaque fois l'empreinte de l'époque à laquelle il est conçu, mais il n'est pas un simple « bricolage » (comme dirait Lévi-Strauss) d'éléments du passé, il conçoit, même si c'est sous une forme utopique, un ordre social inédit.

Toute révolution naît de la conjonction d'une poussée de la misère et de l'oppression, d'une révolte et d'une espérance.

Marx et Engels disaient, par exemple, du projet révolutionnaire de Thomas Münzer, qu'il n'en a pas existé de plus avancé jusqu'au milieu du XIXe siècle (c'est-à-dire jusqu'au marxisme).

Ce messianisme est en avance sur l'histoire, comme tout véritable mouvement révolutionnaire, et comme tout travail spécifiquement humain, c'est-à-dire précédé de la conscience de ses fins, créateur.

La faiblesse de l'utopie ce n'est pas de devancer l'histoire (c'est au contraire en quoi Marx l'admire et l'intègre à sa propre pensée révolutionnaire comme l'un de ses moments nécessaires); sa faiblesse c'est de ne pas comporter une analyse des conditions objectives de sa réalisation, ni une technique de cette réalisation.

C'est ce qu'apporte Marx en définissant, pour son époque, les forces sociales capables de faire aboutir l'espérance révolutionnaire, et aussi les formes d'organisation, la stratégie et la tactique de la victoire.

Ce n'est nullement en contradiction avec ce que Kierkegaard appelait « la passion du possible », car la caractéristique de cette tradition révolutionnaire chrétienne, de Joachim de Flore à Jan Hus et Thomas Münzer, et des actuelles théologies de l'espérance et théologies politiques, c'est de concevoir le royaume de Dieu non pas comme un autre monde, dans l'espace ou dans le temps, mais comme un monde autre, un monde changé, et changé par nos propres efforts. Le royaume de Dieu était, pour eux, non pas une promesse dont on attendait passivement la réalisation, mais une tâche à accomplir.

Tout se joue dans notre histoire d'hommes : l'histoire est le seul lieu où se construit le royaume de Dieu. L'Apocalypse (XXI,1) ne dit pas que la terre sera remplacée par le ciel, mais que viennent un nouveau ciel et une nouvelle terre. Il ne s'agit ni de tourner le dos à la terre pour aller au ciel ni de quitter le temps pour l'éternité.

C'est Platon qui dit cela. Pas la Bible.

Pour désherber la transcendance peut-être faut-il d'abord ne pas la penser à travers les catégories du dualisme platonicien de la terre des hommes et du ciel des idées (du temps et de l'éternité), qui sont totalement étrangères à la tradition biblique et qui ont perverti le christianisme pendant des siècles.

Pour désherber la transcendance il faut aussi ne pas la penser à travers les catégories d'une eschatologie fixiste ; ne pas concevoir l'eschatologie comme une description de ce qui se passera — ce qui impliquerait une clôture de l'histoire, le retour au destin des Grecs où tout est déjà écrit dans l'ordre divin. L'eschatologie ne consiste pas à dire : voilà où l'on va aboutir, mais à dire : demain peut être différent, c'est-à-dire : tout ne peut pas être réduit à ce qui existe aujourd'hui.

Ce postulat biblique de la transcendance est le premier postulat de toute action révolutionnaire.

Si j'ai écrit, dans mon livre *L'Alternative,* que la révolution, comme les arts, a plus besoin de transcendance que de réalisme, c'est qu'une révolution, tout comme une œuvre d'art, n'est pas seulement *reflet* de la réalité existante, mais d'abord *projet* de créer une réalité autre.

Ce projet n'est possible et n'a de sens :

1. Que si l'homme est pleinement responsable de son histoire, et non soumis seulement aux poussées du passé ;

2. Que si le travail de l'homme, sous sa forme spécifiquement humaine, comme dit Marx, c'est-à-dire précédé de la conscience de ses fins, prolonge la création continuée du monde et de l'homme, comme le rappelait le père Chenu dans sa *Théologie du travail.*

Plus je travaille, plus Dieu est créateur. Il n'y a pas d'extériorité de Dieu. Dieu est passé tout entier dans l'homme : Il se révèle et continue sa création en lui, par lui.

C'est ainsi que je comprends le mot de Clément d'Alexandrie : « Dieu s'est fait homme pour que l'homme se fasse Dieu. »

3. L'imagination peut inventer le futur, à partir d'une multiplicité de possibles et de projets.

Ce postulat de la transcendance, qui est, comme l'espérance, un aspect de la foi, est au principe de toute défatalisation de l'histoire. C'est par là qu'il est libérateur.

Après le postulat de transcendance, le deuxième postulat, de toute action révolutionnaire, indivisiblement biblique et révolutionnaire, est ce que j'appellerai le postulat de relativité.

Le premier affirmait la possibilité de la rupture avec toute nature donnée. Le second, la possibilité de la rupture avec toute aliénation sociale : c'est le postulat de la relativité de toute réalisation historique. De même que le premier postulat prenait acte de cette expérience vitale : aucune de mes actions créatrices ne se réduit aux conditions de son apparition, ne peut être définie entièrement à partir des lois de nature qui la précèdent; de même, le second prend acte de ce fait : même des hommes aliénés par une société sont capables de combattre cette aliénation.

Par exemple, la « distanciation » demeure possible à l'égard du modèle actuel de la croissance capitaliste, malgré tous les « conditionnements » qu'il implique de notre pensée, de notre sensibilité, de nos actions : de même demeure possible la « distanciation » à l'égard des modèles existants de socialisme, malgré toutes les manipulations politiques et culturelles.

Ce postulat de la possibilité de s'arracher à l'aliénation, je l'appellerais volontiers le postulat prophétique, car les prophètes d'Israël ont été les pionniers, par la lutte contre l'idolâtrie, de la lutte contre l'aliénation.

Ils ont enseigné à ne jamais considérer comme

absolu, achevé, définitif, ce qui est l'œuvre des mains ou de l'esprit de l'homme.

Ce deuxième postulat peut s'énoncer de la manière suivante : *Aucune réalisation historique ne peut être considérée comme une fin dernière.* Car c'est ainsi que se pervertissent toutes les institutions : lorsqu'une Église croit être une image visible de la cité de Dieu, lorsqu'une monarchie se déclare « de droit divin », lorsque le capitalisme prétend réaliser « la loi naturelle », lorsqu'un stalinisme prétend incarner le socialisme, alors, par ce dogmatisme, une société ou un système politique perdent leur dimension humaine essentielle : la possibilité de se transcender. Brecht disait : « Il faut changer le monde. Puis il faudra changer ce monde changé. » Cette interpellation prophétique est indispensable au marxisme pour ne pas dégénérer en stalinisme.

L'acte de création artistique est peut-être à la fois le modèle de l'action révolutionnaire et de la foi chrétienne : créer, c'est combattre la clôture humaine. « Quelque lié qu'il soit à la civilisation où il naît, l'art la déborde souvent — la transcende peut-être — comme s'il faisait appel à des pouvoirs qu'il ignore, à une inaccessible totalité de l'homme », écrivait magnifiquement Malraux dans *Les Voix du silence.*

L'erreur est toujours de croire que l'on peut se référer à « l'inaccessible totalité de l'homme », ou que l'on peut entrer en rapports directs avec l'absolu et en être le porte-parole ou l'exécuteur; cette attitude a toujours conduit à la terreur, de Constantin à l'Inquisition et au stalinisme.

238

L'affirmation de « l'autre monde » ne peut servir à sacraliser nos actions dans ce monde : ni les ordres établis, ni les contre-révolutions, ni même les révolutions. L'autre monde n'est pas un second monde dans l'espace ou le temps ; c'est un point de vue pour évaluer les événements et les actions de ce monde, qui est le seul monde. Il n'y a de jugement de ce qui existe qu'en fonction du futur, c'est-à-dire de ce qui n'existe pas encore et qui n'existera peut-être jamais.

L'erreur de Pélage n'était pas d'affirmer que l'homme peut gagner le salut par ses propres efforts, c'était d'oublier qu'il n'existe aucun critère immanent pour juger ces efforts.

Il n'y a pas de critère positif, et c'est pourquoi il est dit : « Tu ne jugeras point. » Mais l'exemple de la vie du Christ et le dialogue intime et permanent avec son mode de vie peut nous donner au moins une image de ce que ces critères ne sont pas. Il nous enseigne non seulement une théologie négative (qui nous empêche de dire : Dieu c'est cela), mais une anthropologie négative (qui nous empêche de dire : l'homme c'est cela), une morale et une politique négatives (qui nous empêchent de dire : le bien — ou l'ordre parfait — c'est cela).

Cette possibilité de dépassement est sans limite assignable. Pour Marx le communisme ne sera pas la fin de l'histoire, mais la fin de la préhistoire et le commencement d'une histoire véritablement humaine.

Pour un christianisme adulte, le royaume de Dieu n'est pas non plus une finalité limitée, un point d'arrivée définitif. C'est un seuil dans l'histoire que l'on peut concevoir seulement par analogie avec le seuil du passage de la matière non vivante à la vie, ou de la vie animale à la conscience.

Chaque franchissement d'un seuil décisif dans l'histoire de la création continuée, comme chaque émergence du nouveau dans la vie quotidienne, chaque création artistique, scientifique, politique est une expérience irrécusable, même si nous ne pouvons en rendre compte par concepts.

Cette transcendance et cette relativité, même si je ne peux pas les penser jusqu'au bout, je les vis chaque jour, et j'agis comme si elles étaient une certitude acquise. C'est pourquoi je les appelle des postulats.

Le troisième postulat de toute action révolutionnaire est un postulat d'ouverture.

Parmi les deux premiers postulats, le postulat de transcendance affirmait la possibilité de se libérer de la nature déjà existante par la création continuée de cette nature; le postulat de relativité affirmait la possibilité de se libérer des structures sociales existantes et de leurs aliénations par un acte révolutionnaire créant des possibles nouveaux.

Ces deux postulats reposent en dernière analyse sur un troisième, le postulat de l'ouverture, que j'appellerai volontiers le postulat eschatologique, c'est-à-dire le postulat de l'espérance. (Après le postulat utopique et le postulat prophétique.)

Au nom de ce postulat nécessaire de l'action révolutionnaire, de jeunes hommes, en 1968, écrivaient résolument sur les murs de la Sorbonne : « Soyons raisonnables : demandons l'impossible », avec la claire conscience, devant la vieille maison scolastique, qu'il n'y a rien de plus déraisonnable qu'une raison timide. C'est-à-dire positiviste.

C'est par là que la révolution et la foi peuvent opérer leur jonction, après des siècles d'antagonisme.

Quand l'eschatologie chrétienne s'est dévitalisée, a cessé d'être un ferment de la terre et de l'histoire, pour se retirer dans les ghettos du ciel et de l'éternité, alors l'espérance révolutionnaire a pris le relais de l'espérance chrétienne. Il a fallu le marxisme pour réapprendre aux chrétiens à s'occuper de l'avenir terrestre.

Quand la théologie dégénérant en théodicée comme si elle avait à justifier, à disculper Dieu des désordres de l'histoire, se contente d'interpréter le monde au lieu d'aider à le transformer ;

Quand la « bonne nouvelle » de l'Évangile est présentée comme une vérité toute faite, et non comme une tâche à accomplir ;

Quand la vérité de la Parole est considérée comme une identité avec le réel et non comme en contradiction avec lui ;

Quand l'histoire du Salut n'est plus un projet libérateur ;

Alors, comme l'a montré Moltmann, se juxtaposent et s'opposent :

un christianisme sans espérance historique

et une espérance historique sans christianisme.
Ce postulat de l'espérance peut s'énoncer ainsi :

l'homme est une tâche à accomplir,
la société est une tâche à accomplir.

Ce postulat s'identifie avec ce qui est l'essentiel
de la foi : la foi en la Résurrection du Christ. Je ne
prétends point ici en imposer une interprétation
théologique. Je n'ai aucun titre à une telle prétention. J'essaye seulement de m'expliquer à moi-
même ce que je crois comprendre.

En prenant le problème d'abord par l'extérieur.

Ce qui est historique, historiquement irrécusable,
dans l'événement de la résurrection, c'est d'abord la
foi des premiers chrétiens en cette résurrection : une
expérience a fait irruption dans leur vie, qui les a
transformés et qui a incurvé le cours de l'histoire.

Définissons en une formule le seuil historique
ainsi franchi : l'on est passé d'une liberté conçue
comme conscience de la nécessité (appartenance à
une cité et à un cosmos) à une liberté conçue
comme participation à l'acte créateur.

La réalité historique fondamentale est l'introduc-
tion d'une attitude nouvelle devant la nature,
l'histoire, les rapports humains. Avec le christianisme une dimension nouvelle de l'homme a
émergé. Hegel a profondément saisi ce moment
décisif de l'histoire, lorsqu'il décèle dans le christianisme la racine de toute vision du monde reconnaissant à l'homme cette dimension d'une intériorité
active, faisant de l'homme le principe du développe-

ment du réel. « Christ, écrit-il, l'homme en tant qu'homme, dans lequel est apparue l'unité de Dieu et de l'homme, a montré par sa mort et son histoire en général, l'histoire éternelle de l'Esprit » *(Philosophie de l'histoire)*.

Le propre de cet esprit est de dépasser sans cesse l'ordre ancien de la nature et de la société et d'en créer un autre.

Les premiers chrétiens, en particulier ceux qui ont rédigé les Évangiles dans le langage et l'univers culturel de leur temps, ont ordonné tous leurs récits, leurs images, leurs paraboles, à cette exigence première de nous annoncer cette « bonne nouvelle » libératrice : tout est possible.

Dans cette lumière la Résurrection prend tout son sens. Le Christ est venu, brèche dans toutes nos limites. La mort, la limite dernière de l'homme, la mort même a été vaincue.

Cette résurrection n'est pas un miracle comme la résurrection de Lazare, car il serait absurde que le Christ ressuscite si c'était pour revenir à une vie qui n'aurait encore que la mort pour fin. La résurrection du Christ n'est pas le retour à une vie mortelle.

La Résurrection n'est pas non plus un fait scientifique : s'il ne s'agissait que d'un phénomène de régénération cellulaire, cela ne bouleverserait la vie de personne, pas plus qu'une réaction chimique quelconque.

La Résurrection n'est pas non plus un fait historique, c'est-à-dire saisissable et vérifiable à travers des traces matérielles ou des témoignages, car le Christ n'est apparu qu'à ceux qui croyaient en lui. Nous ne connaissons sa Résurrection que par la foi que les disciples en ont eue.

Est-ce là diminuer l'importance de la Résurrection? C'est au contraire lui donner sa vraie dimension.

Quel sens aurait la Résurrection si elle s'appuyait sur l'analyse biologique d'un laboratoire, sur un constat d'huissier attestant que le tombeau était vide, sur le reportage photographique d'un envoyé spécial, ou même sur la déposition d'un Thomas assermenté qui aurait mis ses doigts dans les plaies? (Ce que d'ailleurs il n'a pas fait, car, avant même d'avancer la main, il a eu la foi.)

Jésus ressuscité est saisi par la foi, non par les sens.

En quoi un attirail de preuves apporterait-il la moindre garantie de ce qui est l'essentiel de la foi en la Résurrection, à savoir que le Christ n'est pas ressuscité pour obtenir un sursis et mourir une autre fois, mais premièrement pour vivre à jamais : « J'étais mort, mais voici que je suis vivant pour les siècles des siècles » (Ap, I,18).

Deuxièmement pour n'être que le premier de cordée et nous inspirer l'assurance que nous aussi vivrons à jamais.

« Il y en a qui disent que le Christ est ressuscité; comment certains d'entre nous peuvent-ils dire que les hommes ne ressuscitent pas? S'il n'y a pas de résurrection des morts, Christ non plus n'est pas ressuscité » (I Co, xv,12-13).

D'où peuvent naître de telles certitudes?

Pour essayer d'abord de les cerner par la pensée il

est nécessaire de replacer les témoignages sur la résurrection dans leur contexte culturel et non pas dans le nôtre; c'est-à-dire d'abord de savoir penser en dehors des catégories grecques (absolument étrangères à l'esprit biblique) en dehors du dualisme et de l'individualisme.

1. Le dualisme de l'âme et du corps et le mythe de l'immortalité de l'âme qui en découle sont des idées platoniciennes qui n'ont rien à voir ni avec le christianisme ni avec la Bible. Il n'y a pas, en hébreu, de terme pour dire « le corps » (ou « la chair ») indépendamment de l'esprit ou du sens qui l'anime. Le corps n'est pas une partie de l'homme, une composante séparée, dont l'âme ou l'esprit serait l'autre partie, l'autre composante. Ce dualisme a été aggravé par le mécanisme cartésien faisant du corps une pure réalité physique.

Le corps, dans la tradition biblique, c'est l'homme tout entier en tant qu'il s'extériorise en un mouvement signifiant.

Si le corps n'était qu'une mécanique sans rapport avec la vie véritable de l'esprit, l'on se demande ce que pourrait signifier l'Incarnation.

Il serait donc dépourvu de sens que le Christ en mourant ait laissé son corps au vestiaire pour le récupérer le troisième jour. L'on peut d'ailleurs se demander ce qu'il en aurait fait ensuite et à quoi il lui aurait servi pour exercer « la seigneurie de l'histoire ».

2. La deuxième illusion à bannir, elle aussi bien caractéristique de notre univers culturel occidental depuis la Renaissance, c'est l'individualisme. De ce

point de vue le dialogue des civilisations avec les
cultures de l'Orient peut nous aider : le chemin
qu'elles enseignent est celui de la libération de
l'illusion individualiste, de l'illusion que nous
sommes enfermés dans les frontières de notre peau.
Ce qui existe profondément en moi, ce qui est la loi
de mon être et de mon devenir, c'est non pas ce qui
est ma possession individuelle : ma famille et son
héritage, l'histoire anecdotique de mes expériences
passées, mes propriétés, mes titres ou mes pouvoirs,
mais ce qui vit, se développe et se dépasse en moi
du monde qui m'habite, de la culture qui l'anime.
Je n'y accède qu'en me dépouillant (et me dépre-
nant) de mes possessions individuelles pour
atteindre à cette authenticité, à cette pureté qui est
l'amour vivant en moi, mais qui n'a plus rien
d'individuel, et par conséquent, comme le Christ,
plus rien de mortel.

Alors seulement nous pouvons vivre de la vie du
tout, d'une vie éternelle c'est-à-dire non pas une
autre vie, mais une certaine qualité, une certaine
densité et intensité de cette vie lorsque l'amour est
vécu comme la seule façon de lutter contre la mort.

Il ne s'agit nullement d'une évasion vers une
illusoire éternité, mais d'une continuité de vie.

Le Christ ne vit pas en nous à la manière dont un
amateur peut dire que Mozart vit en lui chaque fois
qu'il écoute sa musique. Ce ne serait encore là
qu'un rapport d'individu à individu. Il s'agit de tout
autre chose : d'une participation commune non pas
à une « réalité supérieure » et extérieure, mais à la
seule réalité réelle ; celle qui est faite exclusivement

de décisions humaines, d'initiatives, de créations humaines.

Chaque fois que nous sommes capables de rompre avec nos routines, nos résignations, nos complaisances, nos aliénations à l'égard de l'ordre établi ou de notre individualité étriquée, et qu'à partir de cette rupture nous accomplissons un acte créateur, dans les arts, les sciences, la révolution ou l'amour, chaque fois que nous apportons quelque chose de neuf à la forme humaine, le Christ est vivant, la création en nous, par nous, à travers nous se poursuit. La Résurrection s'accomplit chaque jour.

Chacun de mes actes libérateurs et créateurs implique le postulat de la Résurrection.

Et plus que tout autre l'acte révolutionnaire.

Car si je suis un révolutionnaire cela signifie que je crois que la vie a un sens et un sens pour tous.

Comment pourrais-je parler d'un projet global pour l'humanité, d'un sens à donner à son histoire, alors que des milliards d'hommes dans le passé en ont été exclus, qu'ils ont vécu et sont morts, esclaves ou soldats, sans que leur vie et leur mort aient un sens? Comment pourrais-je envisager que d'autres vies se sacrifient pour que naisse cette réalité nouvelle, si je ne croyais pas que cette réalité nouvelle les contient tous et les prolonge, qu'ils vivent et ressuscitent en elle?

Ou bien mon idéal du socialisme à venir est une abstraction permettant aux élus futurs une possible victoire faite de l'anéantissement millénaire des multitudes, ou bien tout se passe comme si mon action se fondait sur la foi dans la résurrection des morts.

C'est le postulat implicite de toute action révolutionnaire et, plus généralement, de toute action créatrice.

La résurrection des morts, pas plus que celle du Christ, n'est le fait des individus. Comment la résurrection du Christ serait-elle celle d'un moi? Si elle interpelle aujourd'hui encore chacun d'entre nous, c'est parce qu'il n'est pas ressuscité pour lui, comme individu, mais pour nous, en nous, pour nous montrer le chemin.

Il ne nous sauve pas de l'extérieur, comme on fait un cadeau. Mais du dedans : car c'est notre décision, notre foi, qui nous sauve. Chacun des actes que les récits évangéliques nous présentent comme un miracle a ce caractère : le Christ n'apparaît pas comme un thaumaturge, agissant du dehors pour transformer les hommes comme on fabrique un objet. Non, tout passe par des consciences et des volontés d'hommes. Il ne dit pas : « Je t'ai sauvé », comme on repêche un noyé. Il dit : « Ta foi t'a sauvé. »

Nous rappelant ainsi que tout le drame de la foi, sans le moindre résidu, se joue dans nos vies d'hommes, que l'homme, comme le dit le père Rahner, est le seul domaine de la théologie, que nous sommes entièrement responsables de notre histoire; que l'homme est une tâche à accomplir; que la société est une tâche à accomplir; que la Résurrection est une tâche à accomplir, et à accomplir tous les jours.

Tels sont à mon avis les trois postulats de l'espérance, les trois postulats de toute action révolutionnaire qui sont des postulats bibliques, évangéliques.

Une foi consciente de ces postulats ne peut être un opium du peuple. Chaque coup porté contre elle serait un coup porté à la révolution dont elle est le principe.

La foi est libératrice car elle n'est pas seulement un surcroît de sens, elle est, comme dit Paul Ricœur, un surcroît d'agir.

J'essaye d'interroger, de comprendre, et, peut-être, de vivre cette foi, pour n'être pas un homme « unidimensionnel », sous-développé.

Pour jouer pleinement mon rôle dans la création.

Cette foi m'interroge. L'un des problèmes majeurs de ma vie a été de la traduire en termes non théologiques mais humains, c'est-à-dire non comme un discours sur Dieu mais comme un déchiffrement des appels qui nous rendent possible de franchir nos limites.

Karl Barth m'a appris à ne pas dire « Dieu », comme si on parlait d'une réalité extérieure que l'on pourrait saisir par des concepts, comme un *objet*; mais à comprendre qu'il s'agit d'un *sujet*, qui appelle et que l'on appelle, comme dans l'amour. Et toujours davantage j'ai vécu cette présence comme celle d'un *projet,* non pas d'une programmation extérieure, d'une Providence ou d'un plan divin préétabli, mais comme une création continuée, comme une émergence poétique de l'homme, comme cette espérance militante en ce que le monde, par nos efforts, pourra devenir.

Maurice Blondel m'a appris à vivre la foi comme un cheminement, avec la certitude que Dieu est une dimension de l'homme, que Dieu entre dans la définition de l'homme, comme briseur de limites et de frontières, comme ouverture permanente à l'invention du futur.

Teilhard de Chardin m'a appris que la création n'est pas terminée, et le père Chenu que j'en suis responsable. Les théologiens de la libération, ceux de l'Amérique latine, Guttierez ou Rubem Alvez, m'ont appris que cette responsabilité était une responsabilité politique et que le « salut » serait illusoire, hors du monde, s'il ne passait pas — sans s'y réduire — par cette lutte pour la libération.

Avec eux la traduction devenait possible. Elle devenait limpide et exaltante.

Dire : « Dieu existe » signifie : l'homme est toujours plus que l'homme; sa vie spécifique d'homme, au delà de sa vie purement biologique, c'est ce dépassement de lui-même par lequel il se libère pour devenir créateur de son propre avenir, de l'avenir de tous. Dire : « Dieu existe », signifie que l'avenir de l'homme n'est pas seulement la résultante des conditions et des causes qui existent déjà, et que demain, si j'en consens l'effort, sera différent d'aujourd'hui. Déjà lorsque, cherchant à m'orienter dans le chaos du monde présent pour prendre l'initiative d'une action, je postule que ce chaos n'est pas un agrégat de forces incohérentes et hostiles, mais qu'il est possible de saisir toutes ces contradictions dans leur unité, de leur donner, par mon action, un sens, quelque chose de merveilleux m'est arrivé. Dieu m'habite. Il est présent en moi.

Dire : « Dieu est personne », c'est dire que mon rapport avec mon avenir n'est pas un pas un rapport entre des choses ni entre des concepts, que, d'individu biologique ou de personnage social je deviens personne par les réponses que j'apporte aux questions de ce qui m'appelle et m'interpelle dans la misère et la douleur des autres, dans leurs colères et leurs espoirs, dans leur amour. Dire : « Dieu est personne », signifie que je fais l'expérience quotidienne de ce don, en moi, de me libérer de mes intérêts biologiques ou sociaux pour donner une réponse libre, « personnelle » à ces appels. C'est affirmer que ce dialogue est rendu possible par ce don.

Dire : « Dieu est le Père », c'est dire que l'homme ne devient humain que par la communion avec les autres, qui constituent avec lui une seule famille. Que nous constituons un « nous » indivisible, centre et source de la création de chacun. Que l'humanité se construit comme un seul peuple.

Dire qu'il est le Fils, ou la Parole, c'est reconnaître que chaque homme nous révèle partiellement ce que la vie du Christ nous révèle totalement : un style de vie qui ne serait fait d'aucun égoïsme, d'aucune routine, et ne serait que création et amour.

Dire qu'il est l'Esprit, c'est dire que s'épanche au cœur de l'homme — de tout homme — une source inépuisable de créativité d'une vie nouvelle.

Dire que Dieu est créateur, c'est dire que le monde et son histoire ne sont jamais achevés mais toujours en train de naître. Que l'homme n'est pas seulement ce qu'il est mais ce qu'il sera. Que sa vie n'est pas une évolution nécessaire, pas le déploiement d'une essence ou d'une nature selon une loi déjà existante, mais ouverture à l'irréductiblement nouveau. Que l'homme n'est pleinement humain que par sa participation à la création.

Dire : « Dieu est tout-puissant » signifie qu'il n'y a pas de puissance d'oppression si forte que l'homme n'ait pas la possibilité d'engager le combat.

Le péché n'est pas une infraction à un commandement extérieur, mais un refus de répondre à l'appel d'être plus, un refus de créer une vie toujours nouvelle.

L'enfer, c'est l'absence des autres ou la fermeture aux autres.

La prière n'est ni un retrait du monde ni une dépendance à l'égard d'un Dieu législateur et juge conçu à l'image désuète d'un roi. La prière n'exige pas un moment ou un lieu séparé du quotidien comme si le sacré était un secteur particulier de la vie. Prier, c'est étreindre le monde dans sa totalité, en restant bien enraciné dans notre monde et dans notre temps, être à l'écoute, en déchiffrer le sens profond, les signes et les appels. et préparer notre réponse en se rassemblant pour être maître de soi, et, à partir de là, réorienter notre vie et agir en conséquence. Prier c'est écouter la musique profonde de l'être en nous toujours jaillissant, et danser sa vie au son de cette musique.

Le salut c'est ce qui arrive à l'homme lorsqu'il découvre et reconnaît en lui cette possibilité d'arrachement au donné, à la « nature », à l'habitude, à l'ordre établi, à l'aliénation.

Quel rapport y a-t-il entre le « salut » chrétien et les mouvements de libération des peuples, entre la foi et l'action politique, entre le royaume de Dieu et la construction du monde?

Il n'est plus possible de séparer radicalement les deux, comme si le royaume de Dieu était sans rapport avec nos luttes historiques et se situait dans un « autre monde », indifférent aux vicissitudes, aux ordres et aux désordres de celui-ci, faisant ainsi des chrétiens une confrérie des absents, étrangers aux combats politiques et sociaux de ce monde. Ce dualisme a toujours conduit à une hypocrisie et à une solidarité inavouée avec l'ordre ou le désordre établis.

Il n'est pas possible non plus d'identifier les deux comme si le royaume de Dieu pouvait s'*installer* dans un ordre nécessairement provisoire qu'il sacraliserait : monarchie « de droit divin », démocratie « chrétienne », socialisme « chrétien » ou société sans classes. Marx lui-même ne considérait d'ailleurs pas la société sans classes du communisme comme la « fin de l'histoire », mais au contraire

comme le commencement d'une histoire proprement humaine, qui ne serait plus faite d'affrontements de classes ou de nations, mais d'une création
libre, analogue à la création artistique.

Le problème des rapports entre la foi et le
socialisme est un problème de fécondation réciproque : la foi apportant au socialisme sa dimension
transcendante, prophétique, l'empêchant de s'enfermer dans la suffisance et l'ouvrant à un avenir de
renouvellement sans fin, le socialisme apportant à
la foi sa dimension historique, militante, l'empêchant de s'évader du monde des luttes humaines et
l'obligeant à y incarner sa promesse et son espérance, afin de n'en être pas l'opium mais le levain.

La libération politique pour la lutte des classes et
des peuples opprimés ;

La libération historique permanente par laquelle
l'homme surmonte ses successives aliénations pour
accéder à une création toujours plus libre de soi,
par la science et les techniques, par la création
artistique, par l'organisation de rapports humains
nouveaux ;

La libération du péché, pas seulement du péché
individuel qui est le repliement individualiste sur soi
et refus du plus être par l'amour, mais du péché
objectif, c'est-à-dire des conditions politiques et
sociales dans lesquelles « l'image de Dieu » qu'est
l'homme est défigurée, bafouée par l'exploitation,
l'oppression, la violence institutionnalisée ;

Ce sont là trois niveaux distincts mais interdépendants : libération intérieure du péché et « salut »,
libération historique et politique sont des aspects

d'un même combat qui doit être mené sur tous les plans à la fois pour être efficace et victorieux.

Un homme appartenant tout entier à la terre et tout entier divin, comme dit mon ami le père Leclerc; un homme pour qui aimer Dieu c'est croire en l'homme; désespérer, c'est nier Dieu.

Une foi qui est refus du repliement individualiste sur soi. Une foi inséparable du don d'aimer, une foi qui est acte, acte de libérer en soi le mouvement de sortir de soi, le mouvement créateur. Cette foi qui est un autre nom de la liberté, de l'amour, de la création. Cette foi je ne la possède pas : elle me possède.

J'hésitais encore, dans *L'Alternative,* il y a trois ans, à répondre à la question : suis-je chrétien? Je reconnaissais déjà que mon espérance de militant n'aurait pas de fondement sans cette foi, car cette foi seule nous rend pleinement responsables de notre histoire. Se fermer à elle serait refuser la liberté.

ET PUIS ENCORE...

Christophe prit conscience de sa destinée qui était de charrier, entre les frères ennemis, comme une artère, toutes les forces de vie de l'une à l'autre rive.

Romain ROLLAND, *Jean-Christophe*

Je relis ces pages et je revis ma vie. Avec le sentiment que tout est à refaire, et la certitude que si c'était à refaire je referais le même chemin. Non pas que j'aie atteint le but, mais parce que je crois que c'est dans cette direction qu'il fallait marcher.

A dix-sept ans, au sortir du lycée, et quittant pour toujours un ami, nous avons échangé nos « portraits »; je terminais le mien par cette définition : je suis une sphère qui court après son centre. Je n'ai pas cessé de l'être. Mais j'ai pris conscience que le centre c'est cette course même.

Je voudrais partir de là pour désigner l'essentiel. Ce livre est fait de cris. Parce qu'il est fait de vie. Tous ces cris partent de là même vision ou de la même indéracinable foi à laquelle je suis parvenu à travers un demi-siècle de tâtonnements.

Elle était là, toujours, sans doute depuis le commencement, et je n'arrivais pas à la saisir. Je retrouve dans les élucubrations de mes carnets du temps où j'étais élève au lycée Henri IV (j'avais dix-huit ans), l'esquisse de ce que j'appelais pompeusement « philosophie de l'amamus »! C'était une sorte d'anti-Descartes : la première certitude n'est pas *cogito,* je pense. Mais *amamus,* nous aimons!

Finalement ce n'était pas si bête. Individu solitaire, et raison abstraite pour retrouver le monde, les autres et Dieu, cela me rendait la vie impossible. Cette philosophie, prétendant, sous des formes diverses, être *la* philosophie, alors qu'elle n'était que la philosophie *occidentale,* me rendait la vie impossible.

C'est pourquoi toute ma vie je l'ai vécue en dehors de la philosophie bien que mon métier fût de l'enseigner : comme militant politique l'action (et le rapport d'homme à homme) débordait toujours la pensée et lui donnait le mouvement et la vie; l'expérience artistique débordait le concept : la poésie, la peinture, la musique, la danse, c'était le contact immédiat avec la réalité première; la tentation permanente de vivre la foi, c'était le pressentiment que cette réalité première ce n'est pas la structure mais la rupture, pas l'individu insulaire, mais l'amour passeur de frontières.

Et peu à peu tout cela ne fit qu'un : la politique, l'art, la foi.

L'essentiel de la politique marxiste c'est de créer les conditions économiques, sociales, politiques, pour que chaque homme soit un homme, un participant actif et conscient à la création continuée, et cela dans la lutte contre toutes les formes de *l'avoir* (propriété, État, idéologie) qui sont des aliénations de *l'être.*

L'essentiel de l'esthétique, c'est de nous apprendre à coïncider avec l'acte créateur, à discerner, dans chaque œuvre forte, non pas le reflet d'un monde déjà existant mais le projet d'un ordre possible. L'art n'est pas exploration gratuite de formes ; il est une manière de vivre : celle qui permet l'émergence poétique de l'homme.

L'essentiel de la foi, c'est de jouer sa vie sur ce pari que la réalité la plus profonde est l'amour, c'est-à-dire le choix de sortir de soi pour se donner à l'autre. A l'autre quel qu'il soit.

J'approche ainsi de l'affirmation centrale de ma vie : *la politique, la création artistique et la foi ne font qu'un.* Apprendre à les saisir dans leur unité, c'est cela la philosophie. Tout au moins la mienne. C'est pourquoi je n'en fus peut-être pas trop mauvais professeur. J'ai toujours pensé, depuis que j'ai décidé de le choisir, à dix-sept ans, que mon métier, celui de professeur de philosophie, était le plus beau métier : apprendre à rechercher ce qui est le cœur de la vie, à vivre dans le centre de jaillissement de toute vie, prolonger la création.

Être un militant politique, apprendre à déchiffrer la peinture, la poésie ou la danse, danser sa vie et revivre de la vie primordiale de la foi, de la Croix et de la Résurrection, tout cela ne fait qu'un, n'est qu'un seul mouvement, celui de la vie.

C'est ainsi qu'on devient un marginal. Sinon un rejeté. Un exclu. De toutes les institutions.

Dire que la politique n'est pas seulement une science ou une technique du pouvoir, mais d'abord une réflexion sur les fins, cela vous rend suspect à ceux qui n'acceptent pas que l'on remette en cause les fins. Si vous ajoutez que le socialisme ne peut pas se construire par en haut, c'est-à-dire par une délégation de pouvoir à un parti et à ses dirigeants, car cela risque fort de réduire une révolution à un transfert de pouvoir et au maintien, sous des formes nouvelles, des aliénations anciennes, mais par la base, c'est-à-dire par un pari sur les possibilités créatrices de l'homme et de tout homme, par une autodétermination des fins et une autogestion des moyens, alors vous apparaissez comme un danger non pas seulement pour un parti, mais pour tout parti. Un utopiste! Un hérétique! Un anarchiste! Un asocial! Ce qui est finalement vrai puisqu'il s'agit de la mise en cause de l'ensemble de cette société.

Dire que ce qu'on appelle *la* philosophie n'est que la philosophie *occidentale,* et que ce qu'on appelle *la* science n'est que la science *occidentale,* l'une et l'autre fondées sur le postulat selon lequel tout ce qui n'est pas réductible au concept n'existe pas et n'a pas le droit d'exister, c'est être aussitôt traité d'irrationaliste, d'obscurantiste, de « fidéiste », s'exclure soi-même de la confrérie des « philosophes »! Et ce n'est pas davantage être accueilli par ce qui a été longtemps « la confrérie d'en face » : les théologiens.

Dire que la théologie a contracté toutes les maladies de l'Occident; qu'elle a été pervertie par le dualisme platonicien jusqu'à séparer l'âme et le corps, la terre et le ciel, l'ici-bas et l'au-delà, l'homme et Dieu, et que ce « platonisme pour le peuple », comme disait Nietzsche, en a fait l'idéologie privilégiée des conservatismes, des résignations et de « l'immortalité de l'âme »; dire qu'elle a été contaminée par le rationalisme aristotélicien jusqu'à vouloir saisir Dieu dans le filet à papillons de la logique formelle, jusqu'à se fabriquer une dérisoire panoplie de preuves rationnelles de l'existence de Dieu; dire qu'elle a été pénétrée par l'individualisme jusqu'à rendre inintelligible le salut ou la résurrection; dire que son flirt avec l'existentialisme l'a conduite à faire vivre l'homme en face de l'angoisse et de la mort et non avec l'autre et le tout autre; dire que les derniers avatars du structuralisme et de la linguisticomanie l'amènent à disserter sur le « discours théologique » (comme d'autres sur le « discours de Marx ») alors que la foi chrétienne (comme la « praxis » de Marx) est précisément le contraire d'un « discours »; dire que cette foi chrétienne (comme la dialectique de Marx) n'est pas structure mais rupture, rupture de toute structure contre toutes les apologétiques religieuses ou politiques (qu'elles soient fondées sur des logiques linéaires ou des méthodes structurales); dire qu'elles ne sont que des idéologies de justification ou de sacralisation de ce qui est et qu'en lisant de telles théologies l'on n'a pas le sentiment que Dieu s'est fait homme, mais qu'il s'est fait occidental, dire tout cela — juste ciel! c'est se placer en dehors des Églises, comme en dehors des partis.

Quelle reconnaissance est la mienne, à votre égard, Maurice Blondel, qui m'avez appris à vivre la vie divine comme un mouvement; à vous, père

Chenu, qui m'avez appris que le travail, celui du menuisier ou celui du poète, est participation à la création divine; à vous Moltmann qui m'avez appris que la foi est espérance, à vous, dom Helder Camara, qu'elle était libération, à toi, père Leclerc, qui m'as appris à aimer un Christ poète, subversif et militant, à vous tous qui m'avez appris combien la dimension chrétienne de la transcendance était nécessaire à notre vocation révolutionnaire de « mutants », qui m'avez appris que le mouvement de libération remplit tout le passage de l'animalité à Dieu.

Dire que l'art n'est pas fait pour faire de l'art mais pour faire l'homme, que ce n'est pas affaire d'inspiration individuelle, mais prise de conscience de la création continuée de l'espèce et découverte de langages nouveaux pour exprimer le jaillissement de la réalité nouvelle, c'est se faire excommunier du monde des arts pour politisation de l'art, enrégimentement des artistes, moralisme, stalinisme, ou bigoterie! Ces messieurs du marché de l'art, que les lois de jungle de la concurrence amènent à confondre singularité rentable avec émergence de dimensions nouvelles de l'homme, et ces messieurs de la propagande, chargés de sacraliser une politique, vous condamneront avec la même rage lorsque vous refuserez d'identifier le réalisme avec le reflet et l'apologie d'un système provisoire, et que vous rappellerez qu'avec l'homme, le possible faisant partie du réel, l'œuvre doit être avant tout projet, à la fois critique et prophétique, sans rivages! Mais précisément ce socialisme-là, comme toutes les autres formes de conservatisme, refuse que l'on quitte des yeux ce rivage. Choisir ce critère de la grandeur d'une œuvre artistique : dans quelle mesure cet artiste a-t-il contribué à inventer le futur? et quel langage a-t-il créé pour exprimer cette émergence poétique de l'homme? C'est d'avance liguer contre soi les conservateurs de tous les bords qui ne souhaitent pas la création d'un avenir nouveau mais le maintien des normes établies.

Comme disait Marx lorsque Hegel transforma la dialectique de méthode critique de dépassement en justification d'un système : il y a eu de l'histoire, mais il n'y en aura plus.

Nous voilà donc tout nus et tout seuls? Je ne le crois pas, et je ne l'ai jamais désiré. Je n'ai pas le goût de la destruction ou de la critique destructive. Je n'aspire pas à la solitude. Mon rêve serait d'être en communion avec tout le monde. Et que ce que je dis paraisse banal comme une évidence que chacun peut faire sienne.

Mon propos, dans tout ce livre, comme dans la vie qu'il questionne, était d'amour.

Je voudrais que cela fût le dernier mot.

Car c'est à partir de là que tout le reste prend sens : politique, création artistique, ou foi.

Étrange réalité de l'amour : il n'est l'amour de rien.

Aimer une femme seulement pour la beauté de son visage ou de son corps, pour l'attraction sexuelle qu'elle exerce sur nous, pour son intelligence, pour ses dons, ce n'est pas encore l'amour. Dès que l'on se demande pourquoi l'on aime, l'on a cessé d'aimer. Car l'amour est un acte constituant, inconditionnel : l'acte par lequel je franchis, à la sommation de l'autre, les frontières dans lesquelles j'étais parqué par mon individualisme. L'amour est la plus immédiate manière de vivre la transcendance : non pas comme un dépassement de soi à partir de soi, comme chez Nietzsche, mais comme un dépassement de soi à l'appel de l'autre.

Si l'autre a sa grandeur, sa richesse humaine et sa beauté propres, l'aimer m'appelle à dilater mon être pour répondre à son attente, et à me dépasser pour vivre à l'échelle de sa vie.

Si l'autre est déchu, menaçant, étranger et même hostile à mon amour, l'aimer m'appelle à un dépouillement libérateur ; me libérer de ma peur, de ma défiance, de mes propriétés, de mon orgueil, de mes sécurités.

Dans tous les cas, l'amour a cette vertu de me convoquer au tribunal suprême, celui de la transcendance : est-ce que je suis capable de ce dépassement ou de ce renoncement pour accueillir non seulement l'autre, mais le tout autre qui ne peut se révéler que par lui, à travers lui ?

Tel est l'amour, comme loi fondamentale de l'être.

Marx m'a appris à découvrir les voies de sa victoire.

Le socialisme et le communisme ont été défigurés et discrédités par l'expérience stalinienne et ses séquelles.

Le socialisme et le communisme, de Thomas Münzer à Karl Marx et de Che Guevara à Mao

Tsé-tung ont donné un visage à l'espérance des hommes.

Ma tâche de communiste est de lui rendre ce visage.

Ce visage de la plénitude humaine, dans toutes ses dimensions.

Vivre selon la loi fondamentale de l'être : l'amour.

La Croix m'en a appris les renoncements.

La Résurrection les dépassements.

Je suis chrétien.

31 décembre 1974.

DU MÊME AUTEUR

Aux Éditions « Hier et aujourd'hui »

Antée (roman) (1945). *Épuisé.*
Le Huitième Jour de la création (roman) (1946). *Épuisé.*
Les Origines françaises du socialisme (2ᵉ édition : 1949).
Épuisé.

Aux Éditions sociales

L'Église, le communisme et les chrétiens (1949). *Épuisé.*
Grammaire de la liberté (1950). *Épuisé.*
La Liberté (1955). *Épuisé.*
Humanisme marxiste (1957). *Épuisé.*
Qu'est-ce que la morale marxiste (1963). *Épuisé.*

Aux Presses universitaires de France

Théorie matérialiste de la connaissance (1953). *Épuisé.*
Perspectives de l'homme (3ᵉ édition : 1961).
Dieu est mort (étude sur Hegel) (1962).
Lénine (1968).

Aux Éditions Gallimard

Du surréalisme au monde réel : l'itinéraire d'Aragon (1961).
Pour un modèle français du socialisme (Coll. *Idées actuelles,*
1968).
Le Grand Tournant du socialisme (Coll. *Idées actuelles,* 1969).

Aux Éditions Seghers

Karl Marx (1965).
Le Problème chinois (1967). *Épuisé.*

Aux Éditions Plon

D'un réalisme sans rivage (1964). 3ᵉ édition.
De l'anathème au dialogue (1965). 3ᵉ édition.
Marxisme du xxᵉ siècle (1966). Réédité en format poche :
Collection « 10/18 » (1968).

Aux Éditions Bernard Grasset

Pour un réalisme du xxᵉ siècle (Dialogue posthume avec
Fernand Léger) (1968).
Peut-on être communiste aujourd'hui? (1968). *Épuisé.*
Toute la vérité (1970).
Reconquête de l'espoir (1971).

Aux Éditions du Seuil

Danser sa vie (1973).

Aux Éditions Skira

60 œuvres qui annoncèrent le futur (1974).

ACHEVÉ D'IMPRIMER LE
19 MARS 1975 SUR LES
PRESSES DE L'IMPRIMERIE
BUSSIÈRE, SAINT-AMAND (CHER)
POUR
LES ÉDITIONS ROBERT LAFFONT

— Nº d'édit. 5304. — Nº d'imp. 296. —
Dépôt légal : 2ᵉ trimestre 1975.